La collec...  **P9-COO-210**
est dirigée par Michel Lavoie

rh

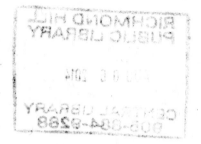

Continuum

L'auteur

Historien et muséologue de formation, Hervé Gagnon a publié de nombreux romans jeunesse, dont plusieurs ont remporté un prix littéraire. Ses romans pour adultes connaissent également un grand succès au Canada et en Europe.

Bibliographie jeunesse sélective

L'Esprit des lieux, Gatineau, Vents d'Ouest, « Nébuleuse », 2013.

Le Talisman de Nergal 6 : La révélation du Centre, Montréal, Hurtubise, 2009.

Le Talisman de Nergal 5 : La Cité d'Ishtar, Montréal, Hurtubise, 2009.

Le Talisman de Nergal 4 : La clé de Satan, Montréal, Hurtubise HMH, 2009.

Le Talisman de Nergal 3 : Le secret de la Vierge, Montréal, Hurtubise HMH, 2008.

Le Talisman de Nergal 2 : Le trésor de Salomon, Montréal, Hurtubise HMH, 2008.

Le Talisman de Nergal 1 : L'Élu de Babylone, Montréal, Hurtubise HMH, 2008.

Cap-aux-Esprits, Gatineau, Vents d'Ouest, « Ado », 2007.

Complot au musée, Montréal, Hurtubise HMH, 2006.

Spécimens, Montréal, Hurtubise HMH, 2006.

Fils de sorcière, Montréal, Hurtubise HMH, 2004.

Au royaume de Tinarath, Montréal, Hurtubise HMH, 2003.

Continuum constitue une édition revue et corrigée du roman *Gibus, maître du temps,* paru en 2000 chez GGC éditions.

Continuum

Hervé Gagnon

Vents d'Ouest

NÉBULEUSE

Catalogage avant publication de Bibliothèque et Archives nationales du Québec et Bibliothèque et Archives Canada

Gagnon, Hervé, 1963-

[Gibus, maître du temps]

Continuum

Nouvelle édition

(Nébuleuse ; 4)
Publié antérieurement sous le titre : Gibus, maître du temps.
Sherbrooke, Québec : GGC Éditions, 2000.
Pour les jeunes de 12 ans et plus.

ISBN 978-2-89537-352-0

I. Titre. II. Titre : Gibus, maître du temps. III. Collection : Nébuleuse ; 4.

PS8563.A327G52 2014   jC843'.6   C2014-940246-5
PS9563.A327G52 2014

Nous remercions le Conseil des Arts du Canada de l'aide accordée à notre programme de publication. Nous reconnaissons l'aide financière du gouvernement du Canada par l'entremise du Fonds du livre du Canada pour nos activités d'édition. Nous remercions également la Société de développement des entreprises culturelles, la Ville de Gatineau ainsi que le CLD Gatineau de leur appui.

Dépôt légal - Bibliothèque et Archives nationales du Québec, 2014
Bibliothèque et Archives Canada, 2014

Correction d'épreuves : Renée Labat

Éditions Vents d'Ouest
109, rue Wright, bureau 202
Gatineau (Québec) J8X 2G7
Courriel :   info@ventsdouest.ca
Site Internet :   www.ventsdouest.ca

Diffusion Canada : PROLOGUE INC.
Téléphone :   450 434-0306
Télécopieur :   450 434-2627

Diffusion en France : Distribution du Nouveau Monde (DNM)
Téléphone :   01 43 54 49 02
Télécopieur :   01 43 54 39 15

Chapitre premier

RIEN NE LAISSAIT PRÉSAGER qu'Henri Gosselin était spécial. En fait, il était tout ce qu'il y a de plus ordinaire. De taille moyenne, les cheveux châtains coupés court, des lunettes rondes qui lui tombaient toujours sur le bout du nez, il avait l'air plutôt gringalet. Un vrai intellectuel. Ce qui ne veut pas dire qu'Henri était une mauviette. Au contraire, il était très déterminé dans tout ce qu'il entreprenait. À force de persévérance, il était devenu un marqueur de buts décent au hockey, un frappeur moyen au baseball et un bon défenseur au soccer. Malgré ses efforts, toutefois, le sport n'était pas vraiment son truc.

C'était l'été de 1973. Henri était triste et se sentait passablement seul. En novembre de l'année précédente, son père était mort dans un terrible accident de voiture. Cassé en deux par la force du choc. Ça lui avait donné un coup dont il avait du mal à se remettre. Son père avait été un type extraordinaire; le papa parfait qui le traitait comme son trésor le plus précieux et qui lui consacrait le moindre moment libre. Henri se rappelait avec émotion les doux moments passés avec lui à chanter, à lire, à discuter, à travailler et à jouer. Il pouvait encore entendre dans sa tête le son de sa voix lorsqu'il fredonnait en voiture, pendant la promenade du dimanche, ou le samedi matin, alors qu'il cuisinait un de ces déjeuners dont il avait le secret et que toute la famille devait obligatoirement déguster dès l'aube. Il s'ennuyait surtout de l'entendre prononcer le surnom qu'il lui avait donné : Gibus… Son père et sa mère formaient le couple parfait et Henri avait le sentiment rassurant qu'ils ne vivaient que pour lui. Être au centre de l'univers de quelqu'un, ça fait se sentir important. Et voilà que tout s'était subitement effondré.

Même sa mère avait failli y rester. Elle avait dû passer des mois à l'hôpital pour guérir toutes les blessures subies dans l'accident pendant qu'Henri habitait chez ses grands-parents. Elle s'en était finalement sortie et était revenue chez elle, mais n'avait plus jamais été tout à fait la même. Elle avait toujours l'air un peu triste, elle qui avait été si heureuse. Elle tentait tant bien que mal de voir à ses occupations quotidiennes malgré la douleur que lui causaient encore ses blessures. Elle faisait preuve de beaucoup de courage, mais Henri savait bien qu'elle avait de la peine. Parfois, il la surprenait à pleurer en repassant ou en cuisinant. Elle s'essuyait alors vite les yeux et lui faisait son plus beau sourire. Et lorsqu'il allait au lit, il savait qu'elle restait debout des heures après qu'il se fut endormi, à penser et à regretter le passé. Henri avait aussi conscience du fait qu'ils n'étaient pas très riches. Papa avait travaillé fort toute sa vie, mais n'avait réussi à leur laisser qu'un tout petit peu d'argent. Il pouvait voir l'anxiété sur le visage de sa mère lorsqu'elle faisait ses comptes, le soir, sur le coin de la table de cuisine. Déjà, elle l'avait averti qu'elle serait obligée se trouver un emploi à l'automne et qu'il allait devoir demeurer seul à la maison au retour de l'école jusqu'à ce qu'elle revienne du travail.

Maman avait bien tenté de remplacer son père et de faire avec Henri tout ce qu'il avait l'habitude de faire avec lui. Elle avait presque réussi à apprendre à lancer une balle de baseball et travaillait avec lui autour de la maison, mais sa santé ne lui permettait pas d'en faire beaucoup. De toute façon, rien ne pouvait arriver à combler le vide laissé par le départ de son père.

Il ne faut pas se méprendre : Henri aimait sa mère. Elle était tout ce qui lui restait. Il s'inquiétait beaucoup pour elle et rageait souvent de ne pas être plus grand. Il aurait alors pu aller travailler, ramener assez d'argent pour qu'ils puissent vivre sans inquiétude et prendre soin d'elle. Mais il était encore petit. À peine dix ans. Henri se sentait terriblement coupable de donner à sa mère l'impression qu'elle ne suffisait pas. Elle était tellement bonne pour lui, et rassurante, et courageuse. Mais Papa lui manquait terriblement.

Et puis, les enfants peuvent parfois être si cruels. Lorsqu'il était revenu à l'école quelques jours après les funérailles de son père, il n'avait fallu que quelques minutes pour que des enfants se mettent à faire la ronde autour de lui en chantonnant qu'il n'avait pas de père et en riant aux éclats. En sanglots, Henri avait couru se réfugier auprès de son enseignante. Mme Claire avait passé un savon mémorable aux coupables et les avait envoyés *illico* chez sœur Marcelle, la directrice. À son tour, celle-ci leur avait fait une longue leçon sur les vertus de la charité avant de leur infliger une interminable copie. Cet incident avait fait comprendre à Henri qu'il ne serait plus jamais pareil aux autres. Alors, peu à peu, il s'était retiré dans son petit monde peuplé de héros, d'aventures et de personnages des romans qu'il dévorait l'un après l'autre. Pour lui, tout ce qui valait la peine se passait maintenant dans sa tête. La vraie vie était bien trop cruelle.

Chapitre II

HENRI habitait Baie-des-Abats, une petite ville ordinaire située autour d'une magnifique baie bordée de caps qui se reflétaient dans l'eau par jours de grand soleil. Elle avait été ouverte en 1837 par un marchand de bois britannique qui y avait installé des moulins et quelques dizaines de colons qui passaient le plus clair de leur temps à bûcher. Graduellement, la Baie-des-Abats avait prospéré grâce aux compagnies de pâtes et papiers qui employaient la plus grande partie de la population, mais qui avaient aussi considérablement pollué l'eau de la baie.

La maison d'Henri était située dans un des plus récents quartiers de la ville, la Terrasse Bellevue. De jolis petits bungalows en brique y étaient alignés côte à côte sur de modestes terrains, au sommet d'une petite colline d'où on avait une vue superbe sur toute la ville. Il se souvenait encore très bien de l'été 1969, alors que son père, sa mère et lui avaient emménagé dans leur nouvelle maison blanche fraîchement construite. Il avait passé des semaines à travailler avec son père à aménager le terrain. Ils avaient posé la tourbe, planté des cèdres, des épinettes et des fleurs ; ils avaient construit une remise et peint les balcons. Ces moments passés avec son père figuraient parmi ses plus beaux souvenirs.

Au milieu du quartier trônait un petit rond-point encerclé par sept ou huit maisons. Celle d'Henri était située avenue du Parc, perpendiculaire au rond-point. De chez lui, il avait vue sur toutes les demeures du quartier.

C'est durant ce premier été qu'il avait fait la connaissance de ceux qui allaient devenir ses inséparables copains. Le premier qu'il avait rencontré était Junior, un petit garçon avec une drôle de tête recouverte de cheveux courts et droits comme de la broche, qui l'avait interpellé alors qu'il faisait le tour du rond-point pour la première fois sur sa bicyclette. Il lui avait alors demandé qui il était, comme ça, sans gêne ni malice. L'œil brillant, l'air espiègle, Junior lui avait plu tout de suite. Ils avaient d'ailleurs vite découvert qu'ils partageaient un goût pour les petites voitures et les figurines GI Joe.

Les autres avaient suivi de près. Il y avait Robert, que tous appelaient Bebeurre et qui avait comme étrange particularité de toujours avoir la morve au nez, l'hiver comme l'été. Bebeurre avait les cheveux en broussaille et bronzait tellement en été qu'il devenait noir comme le poêle ! Les coups les plus pendables qu'ils avaient faits, c'était Bebeurre qui en avait eu l'idée. L'été précédent, alors que la nuit était tombée, ils avaient même déménagé au beau milieu de la rue tout le contenu du jardin d'un voisin! Au matin, après que des dizaines de voitures les eurent bien aplatis, il ne restait plus que de la bouillie de tous les beaux légumes de M. Tremblay! Les jours de pluie, c'était toujours Bebeurre qui venait jouer au hockey sur table chez Henri.

Et puis, il y avait André, un petit garçon frêle, tranquille et timide, que l'on appelait Pepage. Excellent mécanicien, c'était lui qui réparait les bicyclettes des autres grâce à l'impressionnante collection d'outils que son père gardait bien accrochés sur les murs du garage. C'était comme s'il était né en sachant déjà comment fonctionnaient les machines. Grâce à Pepage, Henri avait appris à remplacer les câbles de freins, à ajuster la chaîne et à réparer les crevaisons, sans compter les modifications parfois spectaculaires qu'ils concoctaient.

Henri, Bebeurre, Junior et Pepage s'entendaient à merveille. Ils fréquentaient la même école, passaient le plus clair de leur temps libre ensemble et, en près de quatre ans, ils étaient devenus inséparables. Ils passaient leur temps à construire des voitures en bois qu'ils oubliaient de doter d'un système de direction et qui ne tournaient pas ; à faire du bruit devant chez

Mme Tremblay qui sortait en hurlant et menaçait quotidiennement d'appeler la police ; à construire des forts de neige qui devenaient le lieu d'affrontements épiques avec les enfants du quartier d'en bas et à toutes sortes d'autres activités délirantes.

Leur terrain de jeu favori se trouvait derrière chez Junior, dont la maison était construite devant la forêt. Ils avaient exploré chaque centimètre de ces bois, ramassant des noisettes qui leur noircissaient les doigts pour des jours entiers, jouant à la guerre, construisant et réparant sans cesse une cabane dans un gros érable. Ils y étaient devenus maîtres dans la confection d'arcs dont les flèches volaient à des distances étonnantes. Ils s'étaient même équipés de walkie-talkie qui leur permettaient de communiquer les uns avec les autres peu importe où ils se trouvaient dans les bois.

C'était tout cet univers qui avait basculé avec le décès de son père. Non pas que ses amis avaient cessé de le voir. Bien au contraire, on aurait dit que, dans leur tête d'enfants, ils comprenaient qu'Henri avait besoin d'être entouré et avaient fait de louables efforts pour être disponibles. Ils venaient frapper à sa porte plus souvent que d'habitude pour l'inviter à jouer et lui réservaient les plus beaux rôles dans leurs jeux.

C'était Henri qui avait un peu perdu le goût de jouer. Lorsque Bebeurre, Junior ou Pepage se pointaient, il trouvait mille et une excuses pour ne pas y aller. Sa mère avait beau insister, rien n'y faisait.

Aussi Henri s'était-il retrouvé progressivement seul, isolé.

Chapitre III

Après la fin de l'école, Henri avait passé plus d'un mois sans vraiment sortir de la maison. Il s'installait dans sa chambre du matin au soir et, couché sur son lit, lisait presque sans cesse. Pénétrer ainsi dans des aventures passionnantes était le seul moyen qu'il avait trouvé de fuir la douleur que lui causait l'absence de son père. Depuis novembre, il avait si souvent refusé d'accompagner ses amis qu'ils avaient peu à peu cessé de venir le chercher. Il les voyait parfois s'éloigner vers la maison de Junior puis entrer dans la forêt pour aller s'amuser sans lui. Par moments, Henri ressentait brièvement l'envie de se joindre à eux mais seulement à penser qu'il devrait sourire, rire et faire semblant d'être heureux, le désir s'éteignait rapidement et il retournait à ses lectures.

Il lisait de tout. Des romans de science-fiction et d'aventures que sa mère lui achetait au dépanneur du coin et des livres empruntés à la bibliothèque municipale. Il dévorait les grands classiques de Jules Verne, d'Alexandre Dumas, de Mark Twain. Il avait accompagné Axel au centre de la Terre et Jim sur l'Île au trésor, il avait combattu les machinations du cardinal de Richelieu avec d'Artagnan, il avait vécu avec Huckleberry Finn et Tom Sawyer des aventures rocambolesques. Il consommait aussi des bandes dessinées en quantité industrielle. Il affrontait les ennemis intersidéraux de Flash Gordon et était aussi efficace au combat que le Capitaine America lorsqu'il se mesurait au Crâne Rouge. Le Vautour n'avait qu'à bien se tenir lorsqu'il était Spiderman! Et puis, dans les livres, il trouvait aussi parfois matière à rire un peu, ce qui ne lui arrivait pas souvent depuis le décès de Papa. Astérix et Obélix lui plaisaient bien mais c'est surtout devant les malheurs d'Achille Talon et de son imbécile de voisin, Hilarion Lefuneste, qu'il éclatait de rire.

Sa mère aimait bien l'entendre rire. Cela se produisait tellement peu maintenant qu'elle en était inquiète. Elle voyait bien son petit Henri se renfermer et s'isoler des autres mais elle ne savait que faire pour y remédier. Elle en avait parlé à l'oncle Jules, le préféré d'Henri, qui lui avait conseillé d'attendre en l'assurant que ça se passerait, qu'Henri devait passer par là, que c'était sa façon à lui d'avoir de la peine et qu'il fallait le respecter.

Pour le distraire, elle avait puisé dans ses maigres économies pour acheter une télévision couleur. Quel luxe! En 1973, une télévision couleur, ça ne se trouvait pas encore dans toutes les maisons! Henri avait été fasciné de voir ses émissions préférées autrement qu'en noir et blanc. C'était comme si, tout à coup, les personnages de la *Ribouldingue*, le *Pirate Maboule* et *Sol et Golebet* étaient un peu plus drôles. Alors, lorsqu'il ne lisait pas, Henri regardait la télé dans le sous-sol que son père avait fini quelques mois avant de mourir.

Au fond, il aurait voulu que ses amis continuent à insister pour qu'il joue avec eux et, à force de se faire supplier, il aurait peut-être fini par sortir de sa coquille. Peut-être que si ses amis avaient réussi à le convaincre de sortir, il aurait fini par s'asseoir avec eux dans la cabane dans l'arbre, comme ils l'avaient fait si souvent, et qu'il aurait pleuré un bon coup. Peut-être qu'ils l'auraient écouté, qu'ils lui auraient mis la main sur l'épaule sans rien dire en le laissant sortir sa peine. Peut-être que leur présence aurait fait réaliser à Henri qu'il n'était pas seul dans son malheur et que, finalement, il n'était pas différent. Seulement très malchanceux.

Mais si les choses s'étaient passées ainsi, s'il n'avait pas été si triste et si seul, Henri aurait été privé d'une chance extraordinaire; une chance qui ne se présente que très rarement. Car, par un de ces hasards extrêmement improbables, Henri eut l'occasion d'accomplir ce dont tout le monde rêve un jour ou l'autre: changer le passé. Et si la douleur ne lui avait pas donné une maturité anormale pour son âge, qui peut dire ce qui serait arrivé?

Chapitre IV

QUAND ON A dix ans, la solitude ne peut pas durer éternellement. Un matin du début de juillet, il faisait beau soleil dehors et la journée s'annonçait magnifique. Pendant un instant, Henri s'était imaginé dans la forêt, en train de jouer à la guerre avec Bebeurre, Junior et Pepage près de la cabane. La vivacité de l'image avait percé sa carapace.

Pendant un moment, il avait considéré le livre laissé ouvert sur son lit et avait hésité. Il était en plein cœur de *20 000 lieues sous les mers*, de Jules Verne, et avait été très tenté d'y retourner. Ce capitaine Nemo était tellement mystérieux aux commandes de son *Nautilus*. Mais avait plutôt décidé d'aller voir ce que faisaient les copains. Ne serait-ce que pour changer un peu sa tristesse de place et voir comment la vraie vie se portait. Depuis le temps qu'il les ignorait, il fallait bien s'occuper d'eux de temps à autre. Avec un peu de regret, il tourna donc le dos à son livre et sortit de la maison, en prenant bien soin de prévenir sa mère qu'il se rendait voir ses amis.

—Tu reviens pour dîner, surtout, avait répondu sa mère. Et fais attention à bicyclette. Tu pourrais tomber et te blesser.

—Ne t'inquiète pas. Je serai prudent. Promis! cria-t-il en sortant.

Depuis la mort de son père, sa mère s'inquiétait constamment de lui et lui promettait les plus grands malheurs aussitôt qu'il entreprenait l'activité la plus banale.

Vers dix heures, il enfourcha sa bicyclette neuve à trois vitesses que son père avait déjà achetée avant de mourir et qu'il avait reçue à Noël. Il traversa rapidement le rond-point en admirant comme d'habitude les maisons coquettes qui en bordaient le pourtour avec leurs parterres en fleur et leurs gazons soigneusement tondus. Arrivé chez Junior, il déposa soigneusement sa bicyclette sur le gazon, en bordure de l'entrée, et se dirigea en courant vers la forêt.

Il suivit le sentier qui descendait une petite colline et parvint au gros chêne dans lequel lui et ses copains avaient construit leur cabane grâce au bois que leurs parents avaient donné. Arrivé au pied de l'arbre, il regarda autour. Curieux. Habituellement, à cette heure-là, les copains étaient toujours ici. Or, il n'entendait pas le moindre bruit. Il gravit l'échelle qui conduisait à la cabane, atteignit le petit balcon et ouvrit la porte, certain de les surprendre en pleine partie de *Monopoly*. Personne. Le jeu était bien là, dans sa boîte, sur la vieille caisse en bois qui servait de table. Les bûches qu'ils utilisaient pour s'asseoir étaient disposées autour, comme d'habitude. Dans un coin, des magazines de sport étaient empilés. Le petit poste de radio portatif était éteint. Aucune canette de boisson gazeuse vide ni emballage de tablettes de chocolat ne traînait par terre. Il régnait un silence épais et même l'air semblait immobile. Entre les planches des murs, les rayons du soleil filtraient, éclairant une épaisse poussière digne d'un village fantôme qui donnait à l'intérieur de la cabane un air terriblement abandonné.

Henri ressentit une peur étrange, diffuse, qui lui serra la gorge. Il jeta un dernier coup d'œil autour de lui puis ressortit. Il redescendit et s'arrêta au pied de l'érable pour réfléchir. Ils n'étaient pas venus ce matin, voilà tout. Ils étaient probablement en train de jouer à la guerre quelque part. À moins qu'ils n'aient traversé la forêt pour se rendre à la vieille grange qui se trouvait à un kilomètre de là, comme ils le faisaient parfois malgré l'interdiction de leurs parents de s'éloigner autant. Oui! Ça devait être ça! Ils adoraient se lancer dans le foin du haut de l'étage, même si le fermier détestait ça et les enguirlandait solidement lorsqu'il les surprenait.

Henri décida d'aller voir. Après tout, il avait la matinée devant lui. Il s'enfonça dans le sentier qui fendait les arbres et suivait un ravin. En moins de vingt minutes, il serait à la grange.

Chapitre V

HENRI aimait marcher en forêt. Il y trouvait un calme qui lui éclaircissait les idées et il en revenait toujours plus heureux qu'il n'y était entré. Après quelques minutes, il croisa un petit bâtiment carré en briques grises. Il sourit en se remémorant les histoires ridicules et terrifiantes que ses amis et lui avaient imaginées au sujet de cet endroit. Voilà à peine deux ans, ils étaient fermement convaincus qu'un maniaque habitait là et qu'il les saisirait au passage pour leur faire subir des sévices innommables. Graduellement, cet être mythique avait pris la forme d'un bossu vêtu de gris au visage difforme à un seul œil où luisait une lumière perverse. Que de détours ils avaient faits pour passer loin de là! Avec le temps, ils avaient fini comprendre qu'il ne s'agissait que d'une station de pompage maintenant la pression d'eau dans le quartier. Cela expliquait le grondement bizarre qui s'en échappait et qu'ils avaient confondu avec des grognements…

Il poursuivit son chemin, empruntant le petit sentier qui descendait vers le champ. Perdu dans ses pensées et heureux d'être là, il marchait depuis près d'une heure lorsqu'il réalisa que quelque chose n'allait pas. Il regarda sa montre, qui indiquait presque onze heures. Il avait bien suivi le sentier, qu'il avait arpenté des dizaines de fois. Il en était certain. Et pourtant, le paysage qui l'entourait ne lui était plus familier. Il ne reconnaissait ni la lumière qui filtrait entre les branches, ni l'odeur qui n'était pas celle du foin qui aurait dû se trouver à proximité, ni même le sentier, qui était couvert de longues herbes, comme si personne n'y était passé depuis longtemps. *J'ai dû faire un détour sans m'en apercevoir*, songea-t-il en n'osant pas songer à la possibilité qu'il se soit égaré.

Il s'arrêta pour prendre ses repères. À droite un petit sentier s'enfonçait dans un bois très dense. Les arbres qui se rejoignaient au-dessus lui donnaient l'air d'un tunnel. Au bout, il croyait apercevoir une petite clairière. Il se dirigea dans cette direction, certain d'y voir plus clair une fois que tous ces arbres ne seraient plus dans le chemin. Après tout, en une heure, il ne pouvait pas s'être rendu très loin. Au pire, il émergerait près du quartier voisin, qui était séparé du sien par le boisé, ou alors, il était à proximité des gros réservoirs d'huile situés en retrait de la ville, dans le parc industriel. De là, il ne lui faudrait que quelques instants pour retrouver son chemin.

Arrivé, il constata que la clairière était relativement petite et presque parfaitement ronde. Il y régnait une chaleur surprenante. Au moins dix degrés de plus que dans la forêt. Mais la forêt est toujours fraîche en été et il n'y prêta pas vraiment attention. Ce qui l'étonna davantage, c'était l'herbe courte et verte, comme si quelqu'un l'avait tondue récemment. Et puis, l'air était bizarre. Henri pouvait voir l'autre extrémité de la clairière mais on aurait dit que l'air vibrait et oscillait, un peu comme une chaîne de télévision dont la réception est mauvaise. En prêtant bien attention, Henri pouvait aussi entendre un léger bourdonnement vaguement électrique. Aucun autre son ne venait s'y ajouter; pas de chants d'oiseaux, ni de bruits d'insectes.

Henri ressentit de nouveau l'angoisse floue qui l'avait frappé dans la cabane. Il se força à prendre quelques grandes respirations et conserva son calme en fixant son attention sur le paysage qui l'environnait. C'est alors qu'il aperçut, en plein centre de la petite clairière ronde, un rocher en forme de prisme, à trois faces triangulaires, d'un noir si profond et si mat qu'il semblait absorber les rayons du soleil. Enfin, de loin, ça avait l'air d'un rocher.

Henri s'approcha davantage. Il n'avait jamais rien vu de semblable. On aurait dit une petite pyramide parfaitement proportionnée qui ne pouvait qu'avoir été construite par quelqu'un.

L'histoire de maniaque qui leur avait fait si délicieusement peur prenant tout à coup une tout autre tournure, il décida de rebrousser chemin et de rentrer au plus vite à la maison, en espérant qu'il rencontrerait les autres en cours de route. Il se retourna et repartit par là où il était venu, s'assurant de casser de temps à autre une petite branche pour marquer son parcours comme le lui avait enseigné son oncle Jules, qui était très fort dans ce domaine. Ainsi, il pourrait retrouver l'endroit et le montrer aux autres.

Il marchait depuis près d'une demi-heure, certain de retrouver d'une minute à l'autre le sentier qu'il connaissait, lorsqu'il se retrouva de nouveau devant la pyramide. Cette fois, il y était arrivé par le côté opposé de la petite clairière. Pourtant, il n'avait pas tourné en rond, il en était sûr.

Perplexe, il retraça à nouveau ses pas, guettant l'embranchement qui le replacerait sur le sentier. Il avançait en ligne droite en cassant anxieusement des branches et commençait à craindre d'être vraiment perdu. La panique naissante l'essoufflait un peu et il regardait sans cesse à droite et à gauche, les yeux écarquillés, la transpiration lui mouillant les tempes. Les branches lui pinçaient le visage et les bras.

Il trébucha sur une pierre à moitié enfouie dans le sentier et chuta lourdement. En relevant la tête, un peu étourdi, il crut un moment s'être frappé la tête plus fort qu'il ne l'avait cru. Ce qu'il voyait ne pouvait être qu'une hallucination. À quelques mètres devant lui se trouvait la pyramide. Encore.

Henri se releva en grognant et se frotta distraitement le genou gauche, qu'il avait un peu éraflé dans sa chute. Stupéfait, il essayait de tenir sa panique à distance. On aurait dit que, quoiqu'il fasse, toutes les directions le ramenaient invariablement dans cette clairière. Il avait la nette impression que si les pyramides avaient pu sourire, celle-là l'aurait fait, rien que pour le narguer.

Il fit deux pas vers l'arrière et, avec circonspection, décrivit un grand cercle autour de la curieuse structure qui n'aurait pas dû se trouver là et qui, pourtant, s'entêtait à y être, quoiqu'il fasse. Elle avait bien quatre mètres de haut. Au milieu de la troisième face se trouvait une ouverture triangulaire d'environ un mètre de haut, parfaitement proportionnée avec le reste de la pyramide. En y passant la main, Henri constata que ses rebords étaient parfaitement lisses et polis.

Il recula d'un pas pour mieux observer l'ensemble et remarqua, au-dessus de l'ouverture, une figure circulaire gravée dans la pierre, et qui semblait garder l'entrée. Après quelques secondes, il reconnut un serpent qui mordait sa queue et dont la langue s'agitait.

Intrigué par ses découvertes, Henri oublia un peu son énervement. *Et si je venais de faire une découverte archéologique ?* songea-t-il. Poussé pas la curiosité, il se pencha et, le cœur battant d'excitation, pénétra dans l'ouverture triangulaire.

Chapitre VI

L'OUVERTURE TRIANGULAIRE était si étroite au sommet qu'Henri dut marcher à quatre pattes pour y entrer. Une fois de l'autre côté, quand il releva la tête, ce qu'il vit le laissa complètement médusé. Les yeux écarquillés, la bouche entrouverte, il regarda partout autour de lui, sans vraiment parvenir à donner un sens à ce qu'il voyait.

Il avait devant lui une salle immense dont il ne pouvait même pas apercevoir le plafond. Une lumière diffuse et verdâtre éclairait l'endroit, sans qu'il puisse en identifier la source, un peu comme si l'air lui-même avait été chargé de lumière. Les murs, pour ce qu'il pouvait en voir, semblaient aussi noirs que l'extérieur de la pyramide.

Paniqué, Henri se jeta immédiatement à quatre pattes et ressortit de là aussi vite qu'il y était entré. À toute vitesse, il poursuivit son chemin une fois dehors, sans même songer à se remettre debout, jusqu'à l'orée de la clairière. Une fois là, il s'assit, haletant, frémissant et les yeux écarquillés par la peur. Il prit quelques grandes respirations pour se calmer un peu et essaya de réfléchir.

Il se releva et, se raisonnant de son mieux, s'approcha de nouveau de la pyramide et en fit lentement le tour. Chaque face faisait une dizaine de mètres. Il revint vers l'ouverture et se pencha pour l'examiner de nouveau. Définitivement, l'épaisseur de la pierre ne dépassait pas vingt centimètres. Et pourtant, l'intérieur lui avait semblé sans fin.

La fascination disputant la place à l'effroi dans son ventre crispé, il ferma les yeux et pénétra à nouveau dans l'ouverture. Une fois à l'intérieur, il les rouvrit lentement, espérant voir un espace dont les dimensions correspondraient à celles de la pyramide. Ses espoirs furent déçus. La même salle gigantesque s'offrait à son regard.

Il resta un long moment planté près de l'entrée, tétanisé, une part de lui désirant s'enfuir, l'autre figée dans une étrange fascination. Dans cet endroit qui n'aurait pas dû exister, un silence lourd régnait. La lumière verdâtre lui permettait de voir assez loin, mais l'air semblait chargé de particules. En regardant sa main, il s'aperçut que sa peau avait, dans cette lumière, une teinte verte, comme ses vêtements d'ailleurs. Seul le noir des murs semblait échapper à la couleur, comme s'ils l'absorbaient au lieu de la réfléchir.

Henri se retourna pour s'assurer que l'entrée était toujours là. Il remarqua alors que, malgré la minceur des murs, il ne pouvait voir à l'extérieur. Normalement, de là où il se tenait, il aurait dû voir l'herbe et la lumière du jour. Mais l'ouverture semblait plutôt occupée par une épaisse substance translucide et blanchâtre qui rappelait de l'eau mélangée avec du lait et qui ne laissait rien filtrer de l'extérieur. Alarmé, il passa sa main à travers la substance, puis se pencha et y passa la tête et le torse. Aussitôt l'extérieur lui apparut, comme avant. En se retournant, il constata avec surprise que seule la moitié de son corps qui se trouvait à l'extérieur était visible. Il pouvait sentir ses jambes, mais elles ne semblaient exister qu'en dedans.

Il rentra et se releva de nouveau. Il considéra l'immense espace qui se déployait devant lui, inspira profondément pour se donner un peu de courage et fit un pas hésitant, puis un autre. Le bruit en fut aussitôt répercuté dans l'ensemble de la salle, dont l'écho semblait interminable. Lentement, prudemment, il progressa vers l'inconnu. La mystérieuse lumière diffuse lui permettait de voir parfaitement son chemin. Plusieurs fois, il se retourna en direction de l'entrée qui était toujours là, d'un blanc laiteux rassurant dans son étrangeté.

À chaque pas, sa perception du temps semblait subir une distorsion, comme si les secondes et les minutes avaient une valeur différente en ce lieu. Bientôt, il constata qu'il avait du mal à déterminer s'il marchait depuis longtemps ou non. Les murs de la pièce semblaient être les mêmes. Et pourtant, derrière, l'ouverture s'éloignait toujours.

Incapable d'expliquer ce que qu'il voyait, Henri allait rebrousser chemin lorsqu'il entendit un souffle d'air suivi d'une légère brise qui lui caressa le visage.

– Bonjour! dit une voix enjouée derrière lui.

Il sursauta et se retourna vivement.

Chapitre VII

DEVANT LUI, assis à l'indienne sur une espèce de disque luminescent en métal flottant à environ un mètre du sol, se trouvait un jeune garçon d'une quinzaine d'années. Même dans la lumière verdâtre, sa peau avait une teinte dorée semblable à un bronzage de fin d'été. Il était vêtu d'un drôle de costume bourgogne, ample et sans boutons, pourvu de larges épaulettes. Ses pieds étaient chaussés de souliers en toile, pointus aux orteils, et il était coiffé d'un bonnet qui se terminait par une pointe qui revenait vers le devant, un peu comme ces moines tibétains que l'on voit parfois à la télévision. Sur son front dépassaient quelques mèches de cheveux bruns. Ses mains, dépassant de ses manches larges, reposaient au creux de ses jambes croisées et tenaient un petit triangle noir rempli de boutons.

Le garçon le regardait d'un air espiègle, comme s'il trouvait cette rencontre fortuite fort amusante. La bouche grande ouverte, les yeux écarquillés, Henri regardait fixement l'individu qui venait de sortir de nulle part.

– Bonjour, répéta l'inconnu. Tu es sourd ? Parce que ce serait bien malheureux. Pour une fois que j'ai la chance de parler avec quelqu'un, je préférerais quand même qu'il puisse m'entendre. Quoique, si tu étais sourd, tu aurais au moins l'avantage de ne pas entendre mes bêtises. On dit que j'en raconte beaucoup. Ça doit être la créativité. Je suis très créatif, tu sais. J'invente constamment de nouveaux jeux. Et puis, j'ai tout mon temps ! Temps. J'ai bien dit *temps* ? Ha ! C'est drôle ça !

L'énergumène éclata de rire. Henri, lui, resta muet comme une carpe, l'air hébété, devant le flot ininterrompu de paroles. Le fou rire de l'autre finit par se résorber.

– Alors ? Tu sais parler ou non ? s'enquit-il, d'un ton amusé. Tu as un nom ?

Henri avala bruyamment et croassa une réponse.

– Euh, je m'appelle Henri.

– Henri…, répéta le garçon. J'aime bien, Henri. C'est simple, court et direct. Le genre de nom porté par quelqu'un de franc et d'intelligent.

– Où suis-je ?

– Où tu es ? Ah ! Que voilà une bonne question ! Tu es ici.

– Et où est-ce, ici ?

– Où crois-tu être, Henri ? demanda le garçon, comme si cela n'était qu'un jeu de devinettes.

– Si je le savais, je ne serais pas en train de te le demander, non ? répliqua Henri, qui commençait à s'impatienter devant le petit jeu de son interlocuteur.

– Mais savons-nous jamais vraiment où nous sommes, Henri? Ni même *quand* nous sommes?

Voyant qu'il n'avançait à rien en discutant avec ce curieux personnage, Henri changea de tactique.

– Quel est cet endroit? demanda-t-il.

– Le centre, répondit l'autre, comme si la chose allait de soi.

– Le centre de quoi?

– Mais.,. de tout. Le début et la fin. Le premier et le dernier moment. Partout et nulle part, tenta d'expliquer le garçon, de plus en plus énigmatique.

Henri perdit patience et se mit en colère.

– Écoute, le lutin! Je marchais tranquillement dans la forêt en me disant que ça serait bien de jouer avec les copains et la forêt a cessé d'être la forêt. Les sentiers menaient ailleurs que là où ils ont toujours mené. Et me voilà devant une pyramide noire plantée au beau milieu d'une clairière qui n'avait jamais été là avant! J'y entre et je me retrouve dans une pièce trop grande pour tenir dedans, mais qui est là quand même. Et je me ramasse à discuter avec uni clown qui flotte en l'air assis dans une assiette et qui parle en paraboles entre deux fous rires. Alors je veux savoir où je suis et tu vas me répondre! OK?

Alors même que le garçon, tout rouge, laissait couler cette tirade, le jeune garçon avait tout à coup pris un air consterné. Son pouce frôla l'un des boutons de sa petite console et l'engin sur lequel il était assis s'approcha subitement à quelques centimètres d'Henri en émettant un léger *swooch*. Le visage du garçon se trouvait maintenant tout près du sien et ses yeux noirs le fixaient avec intensité. Il avait perdu ses airs de pitre.

– Par où es-tu entré ? demanda-t-il, l'angoisse se peignant sur son visage.

– Par la porte d'une petite pyramide noire qui se trouvait dans une clairière qui n'aurait pas dû être là. Tu n'écoutes pas quand on te parle ?

Le garçon se prit la tête à deux mains de manière un peu théâtrale pendant que le disque sur lequel il était assis oscillait lentement.

– Ohhhhh… Tu ne devais pas faire ça ! C'est interdit ! Formellement interdit ! se lamenta-t-il.

– Comment ça, je ne devais pas le faire ? Si tu ne veux pas que les gens entrent, tu n'as qu'à mettre une porte.

– Tu ne comprends pas. Tout risque d'être sens dessus dessous !

Le garçon était vraiment paniqué maintenant. Il prit une grande inspiration et parut se calmer un peu. Le disque sur lequel il était assis oscillait encore légèrement de gauche à droite, comme un berceau que l'on agite pour calmer un enfant. Il regarda Henri, l'air résigné.

– Bon, déclara-t-il. Restons calmes. Il faut d'abord tenter d'évaluer les dégâts. Viens avec moi. Je dois te parler.

– Je ne peux pas rester. Ma mère va s'inquiéter. Je suis parti depuis longtemps déjà.

– Le temps n'a pas d'importance en ce moment. Moment? Ai-je dit *moment*? Même lui, il n'existe pas!

À nouveau, le garçon laissa échapper un autre long rire un peu dément. De toute évidence, il voyait un certain humour dans ce qu'il venait de dire. Assurément, il était le seul.

– Allez, viens. Le temps, je m'en occupe! Enfin, je vais essayer.

Il toucha de nouveau sa petite console et se mit à glisser sur son disque, juste assez lentement pour qu'Henri puisse le suivre en trottinant derrière lui. Ensemble, ils prirent une direction qui ressemblait à toutes les autres au cœur de cet espace sans fin. Henri regarda derrière lui. Il ne voyait plus la porte.

Chapitre VIII

APRÈS UN MOMENT dont Henri n'aurait pas su dire s'il avait été long ou court, ils parvinrent enfin dans une pièce fermée, aux murs aussi noirs que le reste de l'endroit. La même lumière diffuse et verdâtre éclairait l'ensemble, sinon qu'elle semblait un peu plus forte et concentrée. Complètement désorienté, le garçon n'avait pas remarqué de murs, ni de porte durant le déplacement, mais voilà qu'il se tenait maintenant dans une salle fermée. C'était comme si l'espace de cet endroit se muait constamment.

La pièce était entièrement vide si ne n'était d'un fauteuil de métal argenté vers lequel le jeune inconnu dirigea son disque pour le poser doucement sur le siège. Il sembla s'y encastrer parfaitement avec un petit *Pffitt* semblable au bruit que l'air comprimé fait à la station-service lorsqu'on débranche le tuyau du pneu que l'on vient de gonfler. Il déplia ses jambes, posa ses pieds sur un appui qui sortit du fauteuil au même instant et rentra la nuque dans un support qui semblait être là exprès pour ça. Il déposa sa petite console sur le bras droit du fauteuil qui l'absorba immédiatement, de sorte que seuls les boutons en demeuraient visibles, et étendit ses longues mains. Il laissa échapper un soupir de contentement. Dans cette position, il paraissait parfaitement détendu et serein. De la main, il fit un geste lent vers sa droite pour désigner un autre fauteuil, plus petit, dont Henri aurait juré qu'il n'était pas là une seconde auparavant.

— Assieds-toi, dit-il.

Henri s'approcha du fauteuil et s'y installa avec hésitation. Il en sentit distinctement la matière s'adapter pour supporter le creux de son dos et sa nuque, de sorte qu'il se retrouva dans une position assise absolument parfaite sans que cela exigeât le moindre effort de sa part. C'était comme si le fauteuil était conçu pour épouser parfaitement les formes de son corps. Malgré lui, il ferma brièvement les yeux et laissa échapper à son tour un soupir de plaisir. La voix du garçon rompit le charme.

— Je m'appelle Oolang-Nao. Tu es ici chez moi. Crois-moi, je suis bien heureux d'avoir un visiteur, mais j'aurais préféré que tu ne viennes pas. Ta présence, tu vois, peut avoir des conséquences tragiques qu'il est difficile de formuler d'une manière que tu pourrais comprendre. Je vais tenter de t'expliquer dans quelle situation nous place ta présence ici.

— Oui mais ma mère…, commença Henri.

Oolang-Nao l'interrompit en levant la main de façon autoritaire.

— Crois-moi, ta mère ne s'inquiète pas, dit-il. En ce qui la concerne, tu viens à peine de sortir de la maison, ou tu n'es même pas encore parti, à moins que tu ne sois revenu depuis longtemps déjà. Peut-être même que tu n'existes tout simplement pas.

— Je sais quand même depuis combien de temps je suis parti, rétorqua Henri, exaspéré. J'ai quitté la maison vers dix heures et il est maintenant...

Il regarda sa montre. Elle marquait dix heures vingt-huit. Comme si le temps s'était arrêté au moment précis où... où il s'était retrouvé dans la clairière inconnue. Il avait marché dans la forêt pendant une bonne demi-heure avant d'atteindre cette fichue pyramide, puis au moins autant à chercher son chemin autour d'elle, en plus du temps qu'il venait de passer à l'intérieur. Il aurait dû être au moins onze heures trente.

— C'est là que se trouve notre problème, expliqua Oolang-Nao. À cause de ta présence ici, le déroulement du temps va devenir absolument imprévisible.

Irrité, Henri se retourna instinctivement, cherchant la porte par laquelle il était entré, sans pouvoir dire dans quelle direction elle se trouvait. Il ne voulait que rentrer chez lui et oublier cette histoire à laquelle il ne comprenait rien.

—Pas la peine de chercher la sortie, dit Oolang, qui avait remarqué son geste. Elle n'existe plus. Ou plutôt, elle n'existera que lorsque je le déciderai. Pour le moment, elle ne fait pas partie de l'ordre des choses. Alors assieds-toi un peu, tu veux? Je vais essayer d'éclairer ta lanterne. D'abord, installons-nous confortablement.

Oolang se replaça un peu dans son fauteuil. Il appuya sur les boutons de sa console en séquence et étendit la main gauche, dans laquelle un gobelet du même métal que son fauteuil se matérialisa au cœur d'une lumière jaunâtre.

—Tu en veux? C'est très rafraîchissant, offrit-il.

Sans attendre de réponse, il fit un petit geste subtil. Tout à coup, Henri sentit que quelque chose de solide et froid se trouvait dans sa main, qui avait été vide l'instant d'avant. Il y vit un gobelet en tous points semblable à celui de son hôte.

—Co-Comment…? parvint-il à balbutier.

—Il suffit de le vouloir. Allez goûte, insista-t-il.

Henri porta prudemment le verre à sa bouche et avala une petite gorgée d'une boisson qui s'avéra un pur délice. On aurait dit un mélange parfait des meilleurs fruits, de miel et d'eau pure.

—Pas mal, hein? s'enquit Oolang. Et ça ouvre un peu l'esprit. Tu en auras besoin. Bon. Passons aux choses sérieuses. Il y a plein de choses que je dois t'expliquer.

Chapitre IX

OOLANG ferma les yeux, inspira profondément et parut se concentrer, comme si ce qu'il allait dire exigeait beaucoup de lui. Au même moment, Henri remarqua que la lumière ambiante faiblissait un peu. Puis l'étrange garçon fixa intensément son visiteur d'un regard calme mais ferme.

– Tout à l'heure, déclara-t-il, tu as remarqué que ta montre n'avançait pas. C'est parce qu'ici, le temps n'existe pas. Tu es dans la Finalité, où tout commence et tout finit ; le temps aussi bien que l'espace tels que tu les comprends. Tout origine de la Finalité et tout n'existe que par elle.

Henri resta un moment silencieux, essayant de toutes ses forces d'assimiler ce qu'il venait d'entendre.

– Et toi, que fais-tu ici ? finit-il par demander d'une voix éteinte.

– Je suis celui qui est ici, répondit Oolang, une expression perplexe passant sur son visage.

– Mais… Depuis combien de temps ? Et pourquoi ?

—Je te l'ai déjà dit, répondit Oolang. Le temps n'existe pas. Je suis ici, c'est tout. Depuis une minute, depuis hier, depuis des siècles, c'est la même chose.

Il fit un grand geste du bras pour désigner l'espace autour d'eux.

—Ce que tu vis tous les jours, expliqua-t-il, ce que chaque être vivant expérimente à chaque moment de sa vie origine d'ici. La totalité des événements qui se produisent à chaque seconde dans l'ensemble de l'univers est cordonnée ici et tout est maintenu en constant équilibre par une infinité de permutations. Au fond, la Finalité est comme un ordinateur central d'une puissance inimaginable qui gère l'univers. Tu comprends un peu mieux, maintenant ?

—Je crois. Au fond, ce que tu es en train de me dire, c'est que tu es Dieu ? dit Henri, incrédule.

—Ah ! Si seulement ! s'écria Oolang d'un ton théâtral. Ça me rendrait la vie plus facile. Hélas ! Je ne suis que moi et je t'assure que par moments, ça n'est pas évident d'être moi. Moment… Ai-je dit *moment* ? Décidément, discuter avec toi me fait oublier les choses les plus élémentaires.

—Alors, tu es *un* dieu ? hasarda Henri.

Oolang-Nao secoua la tête en fronçant les sourcils, comme si l'allusion divine l'irritait.

—Non, non, non. Sors-toi ça de la tête. J'ai peut-être des pouvoirs, des responsabilités qui te dépassent, mais je ne suis qu'un être vivant, comme toi. Je n'en sais pas davantage sur le Créateur que toi. Je vis dans un univers plus complexe que le tien, c'est tout.

– Alors comment se fait-il que tu contrôles tout ça?

L'étrange garçon prit un air embarrassé. Il hésita un peu en tortillant ses doigts, mal à l'aise.

– C'est une longue histoire, dit-il. C'est que… En fait, emm… c'est-à-dire que… c'était une malencontreuse erreur.

– Une erreur? Comment ça, une erreur?

– Laisse-moi reprendre du début. Dans l'univers tel que tu le connais, il y a un début et une fin. Toute chose, tout événement, commence à un moment donné et se termine à un autre, plus ou moins éloigné. C'est la même chose pour l'univers lui-même. Il a commencé quelque part, à un moment donné. Dans des milliards d'années, il cessera de prendre de l'expansion. Toute la matière projetée au moment du *Big Bang* reviendra vers son point de départ et l'univers reprendra sa forme première, c'est-à-dire une matière infiniment dense, où le temps et les dimensions n'existent pas. On reviendra simplement à ce qui était *avant* l'univers. Tu me suis?

– U-huh, marmonna Henri, qui se sentait complètement stupide.

– On ne crée pas un univers entier à partir de rien, reprit Oolang. Pour qu'une boule de matière explose dans toutes les directions, il faut bien que quelqu'un ou quelque chose l'ait d'abord placée là.

— Dieu? tenta à nouveau Henri.

— Tu es assommant avec ton Dieu, à la fin! déclara Oolang. Il n'a absolument rien à voir là-dedans. Crois-moi, s'il avait été le créateur de tout ça, ça serait en bien meilleur état.

— Qui alors?

Oolang-Nao eut soudain l'air d'un petit garçon contrit qu'on venait de surprendre en plein mauvais coup. Il se mit à jouer avec ses doigts en se mordillant la lèvre inférieure.

— Emmm… et bien… emmmm… moi, finit-il par avouer, l'air penaud.

— Toi?! Tu t'imagines vraiment que je vais croire que tu as créé l'univers? s'écria son visiteur.

— Comme je te l'ai dit, c'était un accident. Fâcheux.

— Un accident…, répéta Henri, interloqué. Tu essaies de me faire croire qu'on peut créer un univers entier sans le vouloir…

— Je sais que tout ça est difficile à croire, mais laisse-moi finir, insista Oolang.

Sceptique, Henri posa son gobelet sur une table qui venait de se matérialiser entre les deux fauteuils, comme si la pièce avait anticipé son besoin, puis se cala dans son fauteuil et croisa les bras, l'air buté.

— Je t'écoute, dit-il.

– Avant le *Big Bang*, reprit Oolang, l'univers tel que tu le connais, qui existe dans le temps et l'espace, n'était pas. Moi et mes semblables vivions en tant qu'esprits purs. Chacun de nous créait à chaque instant l'univers dans lequel il existait, au gré de ses fantaisies, de ses besoins ou de sa curiosité. Nous expérimentions, nous nous amusions à créer des réalités temporaires. Il suffisait de le désirer. Tout ce qu'il fallait c'était de la concentration, pour assurer la cohérence de nos créations jusqu'à ce que nous en soyons lassés. Alors, nous en désirions une nouvelle et elle devenait immédiatement réalité. Et ainsi de suite. Un jour, pour m'amuser, j'ai temporairement créé de la matière, du temps et de l'espace. Cet univers ne devait pas durer plus que les autres et je m'y amusais bien. J'allais mettre fin à l'expérience, lorsqu'il s'est produit un petit incident…

Henri arqua le sourcil droit pour l'inciter à poursuivre, sa patience mise à rude épreuve.

– Il s'est produit un… euh… un petit incident. J'ai tout bonnement éternué, admit Oolang, l'embarras se lisant sur son visage. Et… Bang! Toute cette matière, ce temps et cet espace qui n'étaient que des jouets se sont envolés dans toutes les directions. Par le temps que j'enfile, il était trop tard pour les ramener.

– Un petit incident? explosa Henri, époustouflé. Tu crées un univers au complet et tu appelles ça un *petit incident*?!

–À défaut d'une meilleure expression ? répondit faiblement Oolang, mal à l'aise.

–Et moi, je fais partie de ton *petit incident…*, dit Henri.

–Encore une fois, ce n'est pas aussi simple. Lorsque j'ai créé tout ça, il n'y avait que la matière, le temps et l'espace. Mais une fois lancé, l'univers a acquis une existence qui lui est propre. La vie s'y est développée et, ma foi, je l'ai trouvée attendrissante. Un peu comme un papa qui regarde son enfant faire ses premiers pas.

Oolang s'interrompit et son regard se perdit au loin. Une lueur de tristesse traversa ses yeux.

–Et maintenant, il ne me reste qu'à attendre que l'expansion cesse et que tout revienne à son point de départ.

Chapitre X

Pendant un long moment, aucun d'eux ne dit quoi que ce soit. Henri tentait d'assimiler tout ce qu'Oolang-Nao lui avait dit. Ce dernier, le menton dans le creux de la main, semblait perdu dans ses pensées.

– Admettons que tout ce que tu dis est vrai, même si je ne suis pas certain d'y comprendre quoi que ce soit. Tu as créé l'univers par erreur, en éternuant et tu en es responsable. Ça ne me dit pas pourquoi je ne peux pas retourner chez moi et te laisser avec tes problèmes.

L'étrange garçon devint sérieux, presque sombre. Il déposa à son tour son gobelet et posa les coudes sur les bras de son fauteuil. Ses doigts formèrent un triangle devant son visage.

– Les choses se sont déroulées trop vite, expliqua-t-il. Des milliards d'années pour toi, mais à peine l'instant d'un battement de paupières pour moi. Je me suis retrouvé sans aucune préparation avec d'innombrables formes de vie sur les bras et tout un univers à organiser avec son infinité de possibilités à synchroniser au millionième de seconde près, sans cesse, du moindre système solaire au plus petit microbe. C'est ce qu'on appelle le Continuum. Chaque univers a le sien. Le moindre accroc et, un peu comme un tricot dont on tire un fil, tout risque de se défaire.

Oolang prit son gobelet et but une gorgée du nectar avant de le remettre sur la table.

— Et les humains sont apparus, reprit-il. C'est devenu un vrai casse-tête de synchroniser toutes ces destinées. Toute votre vie durant, vous effectuez d'innombrables choix qui changent constamment les données et qui me forcent à me réajuster à une vitesse folle pour maintenir la cohérence de l'ensemble. Au début, j'ai cru que je pourrais m'en tirer, mais il y avait trop de variations, le contrôle a fini par m'échapper. J'ai fait quelques erreurs, j'ai négligé certains détails et l'univers a perdu un peu de sa cohérence. Juste un petit peu car, dans l'ensemble, tout fonctionne raisonnablement bien, mais de petits détails manquent parfois dans l'ajustement.

Il désigna à nouveau l'endroit qui ne semblait avoir ni commencement ni fin, même s'il avait une porte d'entrée.

— La pyramide par laquelle tu es entré est un bel exemple. J'ai mis au point des portails, question de venir voir par moi-même si tout allait bien. Ils apparaissent là et quand je le veux. J'en ai ouvert un là où tu l'as trouvé. J'aime bien les couleurs de ta planète ; tout ce bleu et ce vert…

J'ai oublié de le refermer, ce portail. Et maintenant, tout risque d'être chambardé.

– Chambardé ? répéta Henri.

– En pénétrant dans la Finalité, tu as modifié le cours des événements. C'est que, tu vois, il est prévu que tu sois là-bas, en train de rejoindre tes amis. Or, à cause de ton absence du Continuum, plein de choses seront modifiées dans l'équilibre de l'univers – des petites, mais aussi des grandes – et les changements vont aller en s'amplifiant.

Oolang-Nao avisa Henri, un air de concentration lui plissant le front sous son drôle de couvre-chef.

– Les changements ont déjà commencé, annonça-t-il. Ils vont se développer à partir de toi, puis s'étendre. Tu dois retourner.

– C'est ce que je te demande depuis tantôt ! explosa le garçon, exaspéré.

– Je sais, je sais, fit Oolang en levant les mains en signe d'apaisement. Mais tu devais d'abord savoir pour être capable de me rapporter les différences. Ensuite, je verrai comment je peux rétablir le Continuum.

Henri bondit sur ses pieds, fébrile et anxieux de sortir de cet endroit où rien n'avait de sens.

– Bon, on y va ? fit-il en cherchant la sortie des yeux.

Oolang-Nao se leva à son tour et se planta devant lui. Henri réalisa que c'était la première fois qu'il le voyait debout et que celui qui se prétendait créateur de l'univers tel quel s'avérait plus petit que lui d'une demi-tête.

—Ce n'est pas aussi simple, déplora l'étrange garçon. Le monde où tu vas retourner n'est plus le tien. Tu vas vite réaliser qu'une multitude de détails sont différents. Ta vie ne sera plus aussi agréable, ou peut-être le sera-t-elle davantage. Mais il sera absolument nécessaire de rétablir les choses *exactement* comme elles étaient.

—Et si tu n'y arrives pas?

—Au bout du compte, le chaos. Un univers sans direction, où les choses se produiront de manière aléatoire, sans direction ni justice.

—Ah? Parce que tu crois qu'il y a une justice dans l'univers, toi? cracha Henri. Tu peux m'expliquer où elle était quand mon père est mort l'automne dernier?

—Je sais que tu as mal, Henri. Mais si c'est arrivé comme ça, il y avait une raison. Un jour, tu comprendras. Mais en attendant, tu dois m'aider à rétablir le Continuum.

Henri mit ses poings sur ses hanches et lui adressa un air suspicieux.

—Si tu es si puissant, pourquoi tu ne les vois pas, les changements? Pourquoi tu aurais besoin de moi pour te les rapporter?

—Je coordonne les événements au fur et à mesure qu'ils se produisent, expliqua patiemment le garçon au drôle de costume. Je ne peux pas prévoir l'avenir. Les changements, je les verrai à mesure qu'ils se produisent et il est possible que certains m'échappent. C'est pourquoi j'ai besoin de ton aide. Tu dois être mes yeux là où la modification initiale au Continuum s'est produite.

Oolang posa sur lui un regard suppliant.

– Très bien, finit par dire le garçon anxieux de quitter cet endroit. Je vais repartir chez moi et si je vois des choses bizarres, je reviendrai te le dire.

– Il y en aura. C'est inévitable.

– On verra, rétorqua Henri, sceptique malgré les merveilles dont il avait été témoin depuis sa découverte de la pyramide dans la clairière.

Oolang fit un petit geste de la main et une porte triangulaire apparut, comme s'ils ne s'étaient pas déplacés du tout auparavant. Henri s'avança vers le film laiteux et opaque qui le séparait de l'extérieur – et de son propre univers. Il se retourna un instant.

– Comme puis-je te contacter ? demanda-t-il.

– Le portail te retrouvera. Va. Nous n'avons plus de temps à perdre.

Henri s'engouffra dans l'ouverture et se retrouva à l'endroit exact d'où il était parti. La petite clairière était toujours ronde et verte. Le portail était toujours noir. Il se redressa, encore sonné par tout ce qu'il venait d'entendre. Sans plus attendre, il se mit en route et retrouva presque immédiatement le sentier qui menait à la cabane.

Avant de s'y engager, il se retourna et se figea sur place : derrière lui, il n'y avait plus que la forêt ; aucune trace de sentier, ni de clairière, ni de portail.

Chapitre XI

HENRI retraça rapidement son chemin en repérant les branches qu'il avait cassées plus tôt. Il constata qu'elles se trouvaient toutes à l'intérieur d'une zone de quelques mètres de long, comme s'il avait couru sans cesse sur le même petit bout de chemin.

De plus en plus angoissé, il poursuivit son chemin. Il croisa bientôt la station de pompage, qui était bien là où elle devait se trouver. Il écouta un instant les bruits familiers de la forêt, dont l'absence l'avait frappé voilà un moment à peine : le chant des oiseaux, le bruit de la brise dans les arbres. Tout semblait rigoureusement normal. Cette constatation lui rendit un certain calme.

Il s'arrêta de nouveau, sans vraiment s'en rendre compte, et s'essuya machinalement le front. Subitement, un signal d'alarme retentit dans sa tête : il faisait horriblement chaud. Il regarda autour de lui, intrigué. Les feuilles des arbres semblaient moins abondantes. Plusieurs étaient totalement défoliés et se tenaient piteusement à l'orée du sentier. Puis il remarqua l'herbe. Elle était sèche et jaunie; chacun de ses pas produisait de petits craquements.

Inquiet, il se remit en marche et parvint en vue de la cabane. En approchant, il entendit des rires familiers qui lui firent chaud au cœur:

– Passez *Go* et réclamez $200! Ha! Ha! Je suis l'homme le plus riche de la ville!

Bebeurre! C'était Bebeurre qui gagnait au Monopoly! Comme d'habitude! Tout était donc normal! Il s'épongea de nouveau le front et courut à toutes jambes vers la cabane.

Chapitre XII

Arrivé au pied de l'arbre, il grimpa l'échelle à toute vitesse et fit irruption dans la cabane. Bebeurre, Junior et Pepage sursautèrent en le voyant entrer ainsi en trombe. Lui-même demeura figé, interdit.

Assis autour du jeu de Monopoly dans la pénombre, les rideaux tirés sur les fenêtres, ses trois copains portaient de longues combinaisons blanches qui leur collaient au corps et des bottes de même couleur très étroites. Au mur, des casquettes prolongées d'une bande de tissu à l'arrière étaient suspendues à des crochets.

– Salut! s'exclama Bebeurre. Où t'étais passé? Tu t'étais perdu?

– Non. C'est que… Enfin…

Les autres éclatèrent de rire.

– Je ne vois pas ce qu'il y a de drôle, dit le garçon, un peu vexé.

– Viens qu'on te souhaite la bienvenue! dit Bebeurre en se levant.

Junior et Pepage l'imitèrent et chacun vint lui administrer un coup de poing affectueux sur l'épaule avant de lui savonner les oreilles et de finir en l'envoyant au plancher pour lui sauter dessus en une pile grouillante. C'était leur façon de lui dire qu'ils l'aimaient bien. Henri se prit au jeu et, bientôt, une joyeuse mêlée générale éclata, entrecoupée de rires et d'insultes amicales. Lorsque chacun eut bien tabassé les autres, ils s'assirent en cercle autour de la petite caisse qui servait de table au centre de la cabane et, ricanant encore, reprirent leur souffle.

— Tu veux jouer ? demanda Bebeurre en désignant la planche de Monopoly. J'ai besoin d'opposition. Ces deux-là, je peux les battre avec un seul dé.

Henri choisit un pion en forme de botte. On ramassa les propriétés, l'argent et les maisons pour débuter une nouvelle partie. Soudain, les événements récents semblaient loin, irréels. Il se leva et ouvrit un des rideaux pour laisser entrer la lumière. Les rayons du soleil frappèrent la planche de jeu. Il se dirigeait vers la seconde fenêtre pour faire de même lorsque Junior bondit sur ses pieds et referma d'un geste vif celui qu'il venait à peine d'ouvrir.

— Es-tu fou ? s'écria-t-il.

— Hein ? fit Henri, stupéfait.

— Si tu veux un cancer de la peau, c'est ton affaire, rétorqua Junior d'un ton agressif. Mais pas nous, OK ?

— Qu'est-ce qui te prend, toi ? Je trouvais qu'il faisait un peu sombre, c'est tout.

– As-tu oublié ce qui est arrivé à Pepage ?

D'un geste brusque, Junior saisit une lampe de poche qui était pendue à un clou sur le cadre de la porte, l'alluma et la braqua sur Pepage, qui tourna tristement la tête. Henri eut le souffle coupé. On aurait dit que quelqu'un avait réduit la moitié droite de la tête de Pepage à l'état de bœuf haché. Les cheveux n'y poussaient que par touffes entrecoupées de lésions sanguinolentes. L'oreille n'était plus qu'une boule de chair boursouflée et informe. Le côté droit de ses lèvres avait complètement disparu, remplacé par une plaie ouverte qui s'étendait jusqu'au milieu de la joue et y gravait un grotesque sourire qui laissait paraître les dents. Puis Pepage, l'air embarrassé, baissa la tête.

– Au cas où tu l'aurais oublié, c'est *ça* qu'elle a fait, ta saloperie de soleil ! cria Junior, tremblant de fureur. Et tu voudrais de la lumière ?

Involontairement, Henri avait reculé d'un pas, horrifié par un visage qui lui avait pourtant toujours été sympathique. Ne sachant quoi dire, il balbutia en reculant vers la porte. Il aurait voulu dire qu'il était désolé, qu'il ne savait pas, qu'il ne comprenait plus rien, mais il avait l'impression que son cerveau était paralysé et les mots ne vinrent pas.

Il ouvrit la porte sans pouvoir détacher son regard du visage de Pepage, qui le regardait tristement, se frappa l'épaule en sortant et faillit trébucher sur le seuil. Il descendit l'échelle en manquant quelques barreaux, courut reprendre la bicyclette qu'il avait laissée dans l'entrée de Junior et s'enfuit vers la maison.

Chapitre XIII

Henri pédalait à toute vitesse en regardant droit devant, les yeux pleins de larmes, incapable de chasser de son esprit l'image du visage dévoré par la maladie et le regard triste que lui avait lancé son ami, résigné à souffrir en silence. C'était comme si une bête immonde et cruelle avait pris une énorme bouchée de son visage.

Ce qu'il venait de voir n'avait aucun sens. Et Junior avait semblé prendre pour acquis que l'exposition au soleil était dangereuse. Il pédalait à vive allure et transpirait abondamment. La sueur lui coulait dans le dos et lui piquait les yeux. En quelques secondes à peine, il se retrouva trempé. Le souffle court, il avait l'impression d'avancer dans un air trop épais, pire encore que ces journées de grande chaleur humide de juillet. Il ralentit le tempo sans éprouver de réel soulagement.

Il prit le temps de regarder un peu autour de lui. Il n'y avait absolument personne dehors. Pourtant, plusieurs habitants du quartier étaient chez eux; il pouvait le dire par la présence d'automobiles dans les entrées. Mme Simard aurait dû être en train d'arroser ses fleurs, comme elle le faisait tous les matins. Et puis, la mère de Bebeurre avait commencé à repeindre son balcon la veille, mais ne l'avait pas terminé. Pas un enfant ne jouait dans le rond-point ou dans les cours arrière. On ne voyait nulle part de vêtements placés à sécher sur les cordes à linge. Les gazons étaient jaunis, comme brûlés par le soleil. Les parterres habituellement ornés de fleurs multicolores étaient complètement dénudés; la peinture des maisons coquettes qui bordaient le rond-point était desséchée et pelait par endroits. Derrière les maisons, dans les champs, aucune vache ne paissait, alors qu'elles étaient toujours là à mâchonner tranquillement en regardant les voitures passer et les enfants jouer. Dans la rue, l'asphalte était recouvert d'un sable fin qu'il faisait lever en poussière lorsqu'il passait avec sa bicyclette, comme si aucune pluie ne l'avait lavé depuis des mois.

Il arriva au bout du rond-point, juste devant chez lui et allait traverser l'avenue du Parc lorsqu'il entendit une sirène retentir. À sa droite, une voiture de police blanche surgit en trombe et s'arrêta devant lui en faisant crisser ses pneus. Surpris, Henri immobilisa sa bicyclette et attendit de voir ce qui se passait. Ses parents lui avaient appris à toujours faire confiance aux policiers.

La vitre de la voiture s'abaissa. Un agent, tout vêtu de blanc, coiffé d'un chapeau à larges rebords et portant d'épaisses lunettes noires sortit la tête et toisa Henri d'un air sévère.

– Que fais-tu dehors, toi, habillé comme ça ? demanda-t-il d'un ton sec.

– Je m'en allais chez moi, répondit poliment Henri en regardant ses vêtements, sans comprendre.

– Et où est-ce chez toi ?

– Juste là, de l'autre côté de la rue, dit Henri en désignant d'un geste de la main la maison de sa mère.

– Tu sais bien que tu ne dois pas être dehors le jour sans ton unité de protection.

– Euhhh… C'est que…, hésita Henri, complètement déboussolé.

– Depuis combien de temps es-tu à l'extérieur ? demanda le policier sans attendre de réponse.

– Depuis une heure, peut-être ? répondit le garçon, interdit.

– Une heure ? s'écria le policier. Ce n'est pas pour rien qu'on vous enseigne à ne pas jouer dehors dès la maternelle.

L'agent secoua la tête avec dépit.

– Faire toute cette prévention dans les écoles et…, soupira-t-il. Tu mériterais que je te laisse faire et tant pis pour toi.

Le policier était vraiment furieux. Il entrouvrit la portière de la voiture et en sortit. D'un geste vif, il saisit une petite canette d'aérosol qui était attachée à sa ceinture, attrapa Henri par le bras, l'approcha de lui et aspergea sa peau nue avec le contenu. En un instant, Henri fut complètement entouré d'un nuage à l'odeur chimique qui lui entrait dans la bouche et les narines.

– Qu'est-ce que vous faites? geignit-il en se débattant en vain. C'est quoi, ce truc?

– Calme-toi, garçon, ronchonna le policier en le retenant. C'est qu'un traitement d'urgence pour empêcher le soleil de faire trop de dommages à ta peau.

Henri cessa de s'agiter. De toute évidence, et malgré qu'il ait eu une curieuse manière de le montrer, ce policier voulait son bien. L'agent finit de l'asperger et se pencha vers le coffre à gants de sa voiture. Il en ressortit un petit carnet sur lequel il gribouilla quelques mots, puis détacha la feuille et la lui tendit.

– Prends ça, ordonna-t-il d'un ton impatient.

– Qu'est-ce que c'est?

– Une citation pour traitement obligatoire. Donne-la à tes parents. Tu ne peux pas avoir été exposé aussi longtemps au soleil sans subir une désintoxication cutanée. À moins, évidemment, que tu ne préfères un joli cancer de la peau. Et maintenant, ouste! Rentre chez toi et n'en sors que le soir, comme les gens normaux.

Le policier remonta sa fenêtre et démarra la voiture. Sidéré, Henri fourra le papier dans la poche arrière de son pantalon et s'essuya le front. Encore éberlué, il remonta sur sa bicyclette et traversa la rue en direction de la maison.

Chapitre XIV

COMPLÈTEMENT dépassé par les événements, Henri laissa tomber sa bicyclette sur le gazon, grimpa les marches du balcon quatre à quatre, pénétra dans la maison et, dans son énervement, claqua la porte. Il n'aspirait plus qu'à s'enfermer dans sa chambre, où il pourrait s'isoler et prendre le temps d'analyser tout ce qui était arrivé depuis sa rencontre fortuite avec Oolang-Nao. Car, à son corps défendant, il devait admettre que les choses avaient changé. En pénétrant dans le portail, il avait bel et bien modifié la séquence normale des événements. La réalité était détraquée. La chaleur, les arbres sans feuilles, les gazons jaunis, le soleil dangereux, le visage ravagé de Pepage, le policier qui le savonne parce qu'il est dehors, le traitement obligatoire à l'hôpital... Et quoi encore?

Il enlevait ses espadrilles lorsque la voix de sa mère retentit du fond de la maison, angoissée, suivie de près par des pas rapides.

– Henri? C'est toi?

– Oui, maman. Désolé d'être en retard, répondit-il d'un ton plein d'appréhension.

Il connaissait sa mère et pouvait dire au son de sa voix qu'elle était extrêmement inquiète. Elle surgit dans la cuisine, l'air catastrophé, et accourut vers lui.

— Mais où étais-tu, pour l'amour de Dieu? s'écria-t-elle d'une voix tremblante. Qu'est-ce qui t'as pris de sortir comme ça? Tu sais bien que c'est interdit.

Pendant qu'elle parlait ainsi, elle l'examinait fébrilement, tournant son visage à gauche et à droite, frôlant ses bras. L'air angoissé, elle inspectait les moindres recoins de sa peau, à la recherche d'anomalies.

— Te sens-tu bien? As-tu mal au cœur? Des étourdissements? Oh Seigneur! Mais qu'est-ce qui t'as pris? répéta-t-elle. J'ai failli mourir d'inquiétude!

— Ça va. J'ai juste un peu chaud, répondit-il en tirant sur le dos de son chandail détrempé pour le décoller de son dos. Je t'ai dit en partant que j'allais voir les copains. Je croyais que tu m'avais entendu.

— Tu sais très bien que si je t'avais entendu, Henri, je me serais assurée que tu portais ton unité de protection! rétorqua-t-elle, frôlant l'hystérie.

Elle désigna d'un geste deux combinaisons et deux casquettes blanches accrochées au mur devant la porte d'entrée et des bottes de la même couleur posées sur le plancher, juste en dessous.

Exactement les mêmes que celles que portaient Bebeurre, Junior et Pepage. Un troisième crochet demeurait vide et semblait attendre sa combinaison.

– Euh… Je m'excuse. J'ai dû oublier, finit-il par marmonner en prenant son air le plus penaud.

– Oublié? Tu as *oublié*? Mais comment as-tu pu oublier une chose pareille?

– En fait, c'est le policier, là, dehors, qui me l'a rappelé.

– Un policier? Mon Dieu…, fit sa mère, l'air encore plus inquiet qu'auparavant. Qu'est-ce qu'il t'a dit?

– Il m'a aspergé avec une bombonne et il m'a donné ça.

Il sortit le bout de papier de sa poche et le lui tendit. Elle le lut en couvrant sa bouche de sa main gauche, comme elle le faisait toujours lorsque quelque chose de très grave survenait.

– Habille-toi immédiatement, ordonna-t-elle sans décoller son regard du papier.

Elle se détourna enfin pour saisir une des combinaisons blanches et commença à l'enfiler. Henri l'observait, médusé.

– Qu'est-ce que tu attends? demanda-t-elle d'un ton sec qu'il ne lui connaissait pas. Habille-toi vite!

Il prit la combinaison et l'enfila, y glissant d'abord ses jambes, puis ses bras avant de la refermer à l'aide d'une bande velcro qui partait du bas du ventre et montait jusqu'au cou. Il chaussa ensuite les bottes et coiffa la casquette, dont la bande de tissu arrière couvrait ses oreilles et sa nuque. Sa mère lui tendit de grosses lunettes fumées qu'il plaça sur son nez.

Ainsi équipé, il se sentait un peu comme un cosmonaute. La combinaison était confortable, tout comme les bottes. Le tissu était élastique, doux au toucher et épousait ses moindres mouvements.

Sa mère avait revêtu un attirail identique et glissait le papier du policier dans une pochette située sur le côté de la cuisse droite. Sur le côté droit de la poitrine, on pouvait lire le nom de sa mère brodé sur une petite étiquette rectangulaire blanche qui avait été cousue à la combinaison. Il étira sa propre combinaison et, à l'envers, put y lire *Henri Gosselin*. Il portait une combinaison qui lui appartenait et qu'il n'avait pourtant jamais vue.

Sa mère regarda l'appareil téléphonique posé sur le comptoir et sembla hésiter un instant.

– Non. Je l'appellerai de là-bas, marmonna-t-elle.

Elle ouvrit précipitamment la porte d'entrée, lui empoigna la main, descendit l'escalier du balcon avec une précipitation telle qu'il faillit perdre pied. Elle l'entraîna dans la voiture dont elle claqua la porte avant de s'asseoir au volant et de démarrer en trombe.

Calé dans le siège du passager, Henri regardait défiler le paysage autour de lui. À première vue, les rues, les maisons semblaient être comme avant. Pourtant, de manière subtile, tout était différent, comme si la ville avait perdu l'essentiel de son activité. En moins d'une heure, il en avait eu la preuve. Désorienté, il finit par demander.

– Nous allons où, comme ça ?

– À l'hôpital, évidemment, répondit sa mère.

Pas un autre mot ne fut prononcé pendant le voyage.

Chapitre XV

ILS ATTEIGNIRENT l'hôpital en quelques minutes. Sa mère gara rapidement l'auto dans le stationnement et en sortit d'un bond avant de se rendre du côté d'Henri pour lui ouvrir la portière, comme s'il avait été incapable de le faire lui-même. Ils se dirigèrent d'un pas rapide vers la porte d'entrée de l'urgence.

Une fois à l'intérieur, elle lui indiqua une chaise dans la salle d'attente et s'avança vers le comptoir, où l'infirmière de garde parlait tranquillement avec un patient. Henri vit avec étonnement sa mère, toujours si courtoise, littéralement bousculer l'homme pour passer devant lui.

– Eh! Vous vous croyez où? s'écria l'individu. Vous pourriez attendre votre tour comme tout le monde!

La mère d'Henri ne lui porta aucune attention. Elle tendit à la réceptionniste le papier du policier. L'infirmière le lut rapidement et son expression se fit très sérieuse. Elle appuya sur un bouton et sa voix retentit sur tout l'étage de l'hôpital.

– Code rouge à l'accueil! Code rouge à l'accueil!

Quelques secondes plus tard, des pas retentirent dans le corridor. De grandes portes coulissantes en verre s'ouvrirent pour laisser passer deux infirmiers poussant une civière. Henri vit l'infirmière et sa mère le désigner du doigt en même temps. Les deux hommes foncèrent sur lui. Il fut empoigné fermement et se retrouva étendu sur la civière. Poussé par l'un des infirmiers, il repassa rapidement les portes coulissantes et n'eut qu'un instant pour jeter un regard à sa mère. Il la vit immobile, droite, les mains jointes sur la poitrine, le visage ravagé par l'inquiétude. Les portes se refermèrent avec un sifflement pneumatique lugubre.

Henri fut emmené jusque dans une salle sombre où attendait toute une équipe médicale. Un médecin plus âgé que les autres paraissait diriger les opérations.

– Déshabillez-le vite, ordonna-t-il.

– Ça va. Je peux le faire tout seul, coupa Henri. Je ne suis pas malade.

– Pas encore, jeune homme, répondit le médecin tout en arrêtant d'un geste l'infirmière qui se dirigeait vers lui, mais ça viendra si nous n'intervenons pas rapidement. Pendant que tu te déshabilles, pourrais-tu répondre à quelques questions?

Prisonnier du tourbillon qui l'avait emporté, Henri se leva pour commencer à retirer son unité de protection. C'était là le seul contrôle qu'il semblait en mesure d'exercer sur sa vie.

– Combien de temps es-tu demeuré à l'extérieur sans ton unité de protection? demanda le médecin.

– Une heure environ, mais…

– C'est à l'extrême limite du tolérable. Et tu portais quoi comme vêtements?

– Des shorts et un t-shirt, des chaussettes et des espadrilles.

– Je présume que tu ne portais pas de chapeau?

– Non…

Le médecin se tourna vers une des infirmières qui se trouvaient là.

– Veillez à ce que l'on porte une attention particulière aux extrémités et à la tête, ordonna-t-il en roulant des yeux. On se demande parfois à quoi ça sert de faire toute cette prévention.

Pendant que cette discussion se déroulait, Henri s'était dévêtu. On lui tendit une serviette qu'il noua autour de sa taille. Une infirmière lui saisit le bras et l'entraîna doucement vers une porte donnant sur une autre pièce. Au centre de celle-ci, il aperçut une grande baignoire circulaire remplie d'un liquide rougeâtre et épais qui tourbillonnait paresseusement.

– Entre là-dedans, mon grand, lui intima gentiment l'infirmière. C'est pour ton bien.

– C'est répugnant et ça pue, protesta Henri.

Les deux infirmiers qui l'avaient emmené en civière entrèrent silencieusement et, sur un signe de l'infirmière, le saisirent chacun par un bras. Henri se débattit, mais ils eurent tôt fait de l'asseoir dans la baignoire. Le liquide rouge était froid et visqueux. Henri se mit à grelotter en claquant des dents. En quelques secondes, le froid pénétra au plus profond de lui et lui glaça les os. Il eut vite trop froid pour bouger et ses membres flottèrent librement dans le liquide sans qu'il puisse les contrôler.

— Que me faites-vous? marmonna-t-il, la bouche de plus en plus pâteuse.

— Reste calme, mon petit, lui dit l'infirmière d'une voix réconfortante. Tout sera vite terminé. Le bain va neutraliser l'action des rayons ultra-violets. Le froid ralentit ton métabolisme. Les composantes de la solution vont être absorbées par les cellules de ta peau et les empêcher de se muter en cellules cancéreuses. Je sais à quel point c'est désagréable; je suis passée par là, moi aussi.

Elle lui montra un masque qu'elle tenait dans sa main droite.

— Maintenant, nous allons placer ce masque sur ton visage pour te permettre de respirer lorsque tu seras submergé.

Henri aurait voulu se débattre, mais ses membres ne lui obéissaient plus. L'infirmière lui plaça le masque sur la bouche et le nez. On lui colla ensuite aux tempes des électrodes reliées à un moniteur. Finalement, on sortit son bras du liquide et on lui planta dans le repli du coude une aiguille reliée à un tube qui menait à une pochette de liquide suspendue à un support.

— Maintenant, nous allons te donner quelque chose qui te fera dormir pendant quarante-huit heures, l'informa le médecin en désignant l'intra-veineuse, le temps que le produit agisse et que les effets du soleil soient neutralisés. Lorsque tu t'éveilleras, tu seras comme neuf, c'est promis. Ton papa et ta maman seront là, près de ton lit. Ne t'inquiète pas, tout ira bien.

Déjà, Henri se sentait lourd et somnolent. La dernière chose qu'il vit fut le visage du médecin, souriant, à travers le liquide rouge. *Ton papa*? Avait-il dit *ton papa*?

Chapitre XVI

Henri s'éveilla en sursaut, ouvrit grand les yeux et s'assit à moitié. Comme quelqu'un qui vient presque de se noyer, il aspira goulûment plusieurs grandes bouffées d'air. Puis il se laissa retomber sur le dos. Autour de lui, il pouvait voir le plafond et les murs blancs d'une chambre d'hôpital. Il était couché dans un lit, des tubes branchés à chaque bras. À sa droite, il pouvait entendre le *bip… bip…* d'un moniteur cardiaque. Tout son corps était parcouru d'une étrange sensation de chaleur et de picotement, comme si on y insérait des myriades de petites aiguilles. Les yeux lui piquaient un peu et il avait mal à la tête. Il sentit une légère pression sur son avant-bras droit.

– Henri ? Tu m'entends, Henri ?

C'était la voix de sa mère, tremblante d'inquiétude, qui venait de sa droite. Lentement, il tourna la tête vers elle et lui sourit faiblement. Le moindre millimètre de sa peau était sensible et ce petit mouvement le fit horriblement souffrir. Il se sentit néanmoins très réconforté de la voir près de lui, qui essuyait discrètement une larme de soulagement, vêtue d'une unité de protection.

– Ça va, réussit-il à articuler. Sa gorge était aussi sèche que le désert du Sahara. J'ai soif.

– Tiens, Gibus. Bois un peu d'eau.

Gibus ! Au son de ce mot, prononcé par cette voix, Henri fut d'abord frappé d'incrédulité. C'était impossible. Il rêvait certainement encore et s'éveillerait bientôt.

Henri crut que jamais son cœur ne pourrait contenir toute la joie qu'il ressentait et qu'il allait éclater, alors même que toute sa raison lui criait que ce qu'il s'imaginait était impossible. Il tourna la tête vers la gauche plus brusquement qu'il n'aurait dû et la douleur qui en résulta fut atroce. Elle n'était toutefois rien en comparaison de l'indescriptible bonheur qui l'envahit à la vue du visage familier qui lui souriait tendrement et de la main qui lui tendait un simple gobelet d'eau.

– P-Papa ? bégaya-t-il.

– Tu nous as fait peur, Gibus.

Son père était assis à ses côtés, comme s'il ne les avait jamais quittés, comme si sa présence était tout à fait naturelle. Il avait son plus beau sourire, celui qui donnait toujours à Henri l'impression qu'il était son plus grand complice et qu'il savait tout de lui.

Le garçon resta paralysé. Une infinité de questions se bousculaient dans sa tête et il n'arrivait à en formuler aucune. Ne sachant que faire, il tendit la bouche vers le gobelet, que son père avança délicatement en lui soutenant la nuque. Henri avala quelques gorgées sur lesquelles il s'étouffa un peu. Cette eau, offerte par un être si cruellement regretté, lui parut plus pure, plus sublime que le plus riche des nectars. Son père retira le verre et reposa tendrement la tête d'Henri sur l'oreiller.

– Lentement, fiston, dit-il en souriant. Sinon tu vas t'étouffer.

Henri sourit béatement en regardant son père. Comme pour s'assurer qu'il ne rêvait pas, il tendit la main vers celle de son père, qui l'accueillit aussitôt et la pressa tendrement. Sans qu'un seul mot ne fût prononcé, une infinité de sentiments furent échangés en ce seul instant. L'amour qui les unissait fut redit en silence.

Henri ne quittait pas son père des yeux, de peur qu'il disparaisse à la moindre distraction. Il avait changé. Ses yeux brun pâle cachaient mal une lueur de fatigue et ses traits étaient plus tirés que d'habitude. Ses cheveux, jadis d'un beau châtain, grisonnaient aux tempes. Plusieurs petites rides ciselaient le coin de ses yeux et le repli de sa bouche. Et, comme Maman, il était vêtu d'une unité de protection qui lui allait mal en comparaison des beaux complets qu'il portait toujours. Mais il se tenait là, caressant les cheveux de son fils comme il l'avait fait si souvent autrefois et c'était tout ce qui comptait.

Tout à coup, les questions fusèrent, confuses, comme l'eau d'un barrage dont on vient d'ouvrir les vannes.

– Mais la voiture? L'accident? Tu n'es pas mort? Où étais-tu? Oolang-Nao? Le portail? Es-tu revenu à cause du portail?

– Hmmm… On dirait que M. Gibus a eu un sommeil mouvementé, dit son père en souriant.

– Le médecin a dit que tout ira bien, renchérit sa mère. Le traitement a fonctionné. Dors maintenant. Demain, nous te ramènerons chez nous.

Henri sentait ses paupières s'alourdir. Il sombra bientôt dans un profond sommeil sans rêves. Le meilleur sommeil qu'il avait eu depuis l'automne précédent.

Chapitre XVII

LE RETOUR à la maison fut une grande joie pour Henri. Il était revenu dans la bonne vieille Ford Custom 1966 de son père, celle-là même dans laquelle il était mort l'automne dernier – sauf qu'il n'était jamais mort. Henri retournait dans sa famille, de nouveau complète. Combien de gens pouvaient prétendre avoir jamais eu la chance de retrouver un être cher qu'ils avaient perdu pour toujours?

Il était conscient d'avoir été favorisé par le destin et tout le reste n'était plus que broutilles insignifiantes à côté de la présence inespérée de son père. Il était si heureux qu'il en était même arrivé à mettre de côté les étranges fluctuations de la réalité dont il avait été témoin ces derniers jours. Au fond, peut-être que le monde tel qu'il était avant n'était qu'un rêve survenu pendant son traitement? Peut-être que les rayons du soleil avaient toujours été dangereux? Peut-être que cet horrible accident de voiture ne s'était jamais réellement produit et que son père avait toujours été vivant? Peut-être le traitement avait-il eu comme effet de lui faire oublier son vrai passé et de lui en inventer un autre ?

Le soleil pouvait bien être désagréable s'il le voulait. Et si la rencontre avec Oolang-Nao avait vraiment eu lieu, et bien tant mieux. Les résultats en avaient été magnifiques et Henri n'avait pas la moindre intention d'y changer quoi que ce soit.

Si seulement il avait pu se souvenir de quelque chose, n'importe quoi, du passé qui devait être le sien. Le plus minime souvenir lui aurait permis d'accepter totalement, sans hésitation et pour toujours ce qu'il vivait actuellement. Plus une seule question n'aurait été posée. Mais, malgré ses efforts, rien ne venait. Le seul passé qu'il possédait s'obstinait à être celui dans lequel son père était décédé.

Ses parents l'installèrent confortablement dans sa chambre. Ils mirent à sa disposition tous ses livres et lui en avaient procuré de nouveaux. Plus encore, son père y déménagea la télévision couleur pour qu'il puisse se divertir sans avoir à trop bouger. Une télévision couleur pour lui tout seul !

Chaque soir pendant les quelques jours que dura sa convalescence, son père revint du travail avec un nouveau cadeau pour lui. Des figurines d'action, des jeux de construction, des bandes dessinées, des ensembles de chimie et toutes sortes d'autres trucs fantastiques pour l'aider à se remettre, disait-il avec un sourire complice. Ils passèrent de longs moments à essayer ensemble tous ces jouets, son père semblant s'amuser autant que son fils. Henri savait bien que ses parents n'étaient pas riches et se doutait que son père dépensait tout l'argent qu'il s'allouait pour la semaine. Mais il appréciait terriblement ces marques de générosité et d'amour.

Chaque soir, après le souper, Henri et son père installaient sur le lit le magnifique jeu d'échecs en céramique que son parrain et sa marraine lui avaient offert l'année précédente. Ils jouèrent plusieurs parties. Henri soupçonnait que son père le laissait volontairement gagner, mais ne s'en souciait guère. L'important, c'était d'être avec lui, de partager des moments d'intimité qui lui avaient tellement manqué.

Le premier soir, Henri fit un cauchemar horrible. Il se revit à l'hôpital, en train de se noyer dans le liquide rougeâtre pendant que le médecin et les infirmières le regardaient en riant. Il dut crier, car lorsqu'il s'éveilla, son père était là, en pyjama, assis sur le bord de son lit. Henri était terrorisé et n'avait pas voulu qu'il parte. Ils finirent par passer la nuit ensemble, serrés l'un contre l'autre dans un lit trop étroit pour deux. Au réveil, Henri raconta à son père combien il avait eu peur lors du traitement. Il pleura même un peu. Son père se contenta de l'écouter attentivement, de lui dire qu'il comprenait, qu'il le trouvait bien courageux et que tout était fini, maintenant.

Chaque matin, sa mère, qui demeurait très inquiète, lui apportait son déjeuner au lit et, une fois qu'il avait bien mangé, elle lui donnait un bain d'eau tiède, conformément aux prescriptions du médecin. Sa peau montrait bien encore quelques signes de brûlures, mais grâce à une crème jaune pâle dont on l'enduisait de la tête aux pieds deux fois par jour, elle reprenait rapidement une apparence normale. Le médecin avait promis que d'ici une semaine ou deux, plus rien n'y paraîtrait.

Ses amis aussi vinrent le visiter. Bebeurre, d'abord, qui était entré dans la chambre en le traitant d'imbécile, le visage fendu par un grand sourire. Il s'assit au pied du lit et ils parlèrent longuement de tout et de rien, ressassant ensemble les moments les plus drôles de leur longue amitié. Bebeurre, dont les parents devaient nourrir six enfants, n'avait pas beaucoup de jouets neufs et eut tôt fait de remarquer ceux d'Henri. L'après-midi se passa à inventer de nombreuses aventures pour les figurines d'action, entrecoupées de quelques spectaculaires défaites aux échecs pour Henri, qui avait encore tout à apprendre de ce jeu à la fois compliqué et fascinant.

Junior vint, lui aussi. Un peu embarrassé, il tint d'abord à s'excuser de son explosion de colère de l'autre jour et expliqua qu'il se sentait coupable car, selon lui, s'il ne s'était pas emporté ainsi, Henri ne serait pas parti aussi au soleil sans protection. Ce dernier n'avait nullement le goût de lui expliquer qu'il ne pouvait expliquer comment il s'était retrouvé sans unité de protection, qu'il n'avait même pas su qu'il en fallait une. Il ne dit donc rien. Il ne fallut pas beaucoup de temps pour que leur amitié revienne au beau fixe et lorsque Junior repartit pour souper, Henri en fut attristé.

Finalement, Pepage se présenta. Le côté droit du visage couvert d'un pansement blanc, il se tint debout au pied du lit, ne sachant pas vraiment quoi dire. Ce fut Henri qui brisa la glace en lui proposant de jouer avec ses nouvelles figurines d'action. Mais Pepage se fatiguait vite et dut retourner chez lui pour se reposer et avaler une tonne de médicaments.

Ce ne fut qu'après trois jours de convalescence, rythmés par des visites, des jeux, des gâteries et des bains tièdes, qu'il eut le temps de se prévaloir de son nouveau luxe : la télévision dans sa chambre. Ainsi se rompit une quiétude tranquille et confortable qui aurait bien pu durer le reste de sa vie s'il n'en avait tenu qu'à lui.

Chapitre XVIII

LES SOIRS de semaine, Maman attendait toujours le retour du travail de Papa pour servir le souper. On ne mangeait donc jamais guère avant dix-huit heures quinze. Ce jour-là, Junior avait dû repartir plus tôt que prévu et Henri passa le temps à lire des bandes dessinées. Sa mère avait fait l'épicerie la veille et en avait profité pour lui ramener du supermarché les plus récents numéros de *Spiderman*, du *Capitaine America*, des *Fantastic Four* et de *Silver Surfer*.

À dix-sept heures trente, Henri laissa sa lecture de côté et décida d'allumer la télé. Le journal télévisé débutait. Henri ne s'y était jamais intéressé, mais dans les circonstances, l'idée d'en savoir un peu plus sur l'actualité lui apparaissait soudain fort bonne. Le visage familier du lecteur de nouvelles apparut à l'écran.

Mesdames et messieurs, bonsoir.
Sur le plan international, d'abord, l'Organisation mondiale de la santé a rendu publique aujourd'hui sa plus récente étude sur le réchauffement de la planète.

Selon ce rapport, produit par une équipe internationale de chercheurs indépendants, il appert que la température moyenne pour les six premiers mois de 1973 a été de 9 degrés Celsius supérieure à ce qu'elle était voilà dix ans. Comme on le sait, ce réchauffement, occasionné par la pollution excessive et par la disparition graduelle de la couche d'ozone de l'atmosphère terrestre au cours des trente dernières années, a comme conséquence une fonte rapide de la calotte glaciaire. Celle-ci provoque à son tour une montée du niveau des océans. Le rapport se veut particulièrement alarmant· en ce qui concerne l'érosion de la côte Ouest du continent américain, dont plus de 25 % est maintenant recouvert par les eaux du Pacifique. Chez nous, on le sait, cette montée des eaux a notamment provoqué l'inondation complète des villes de Vancouver et de Victoria ainsi que d'une bonne partie des provinces maritimes. L'OMS recommande un accroissement radical des budgets destinés à la relocalisation des populations dans les zones sécuritaires à l'intérieur du continent. Le rapport prévoit aussi la disparition complète de l'Australie d'ici la fin du siècle et recommande l'application immédiate de mesures d'urgence visant à déplacer sa population vers le centre de l'Afrique. On insiste aussi sur la mise au point d'un plan d'intervention qui permettra de préserver les formes de vie animale uniques à l'Australie, notamment le kangourou.

Dans le même dossier, les territoires désignés pour recevoir les populations déplacées continuent à exprimer violemment leur opposition à l'arrivée de nouveaux réfugiés. Dans les états centraux des États-Unis et dans l'Ouest canadien, notamment, de nombreuses manifestations ont eu lieu. Les organisateurs font valoir que les territoires jugés sécuritaires par l'O.M.S. sont déjà surpeuplés en raison de l'hébergement d'un nombre élevé de réfugiés. Ils soulignent aussi que les réserves de nourriture et d'eau potable ainsi que les mesures sanitaires y sont déjà surtaxées et ne peuvent absorber un apport additionnel de population. Au Vatican, Sa Sainteté le Pape Paul VI a exhorté les fidèles à faire preuve de charité chrétienne et à accueillir généreusement les réfugiés en ces temps d'épreuves. Il a rappelé que l'esprit chrétien exige que l'on permette à tous de vivre dans la dignité, quelles que soient les circonstances.

Ébahi, Henri regardait les images montrant des villes inondées et des camions bondés d'individus amaigris et sales que l'on amenait loin d'un chez-eux qui avait disparu.

La coalition Europe – Asie – Afrique – URSS continue pour sa part d'accuser les États-Unis d'être responsables de la détérioration de l'environnement au cours des récentes décennies et exige d'eux un effort financier colossal afin de rétablir la situation planétaire.

Toujours sur la scène internationale, il n'y a maintenant plus de doute possible : l'enquête de la

Commission sur les substances chimiques et bactério-logiques a publiquement conclu hier à La Haye que la mutation constatée chez plusieurs espèces d'arai-gnées jusqu'ici inoffensives au cours des dernières années est bel et bien le résultat de l'épandage à répétition de pesticides. L'accumulation de ces subs-tances toxiques dans l'environnement est en effet directement responsable d'une mutation génétique qui rend ces espèces extrêmement venimeuses. Rappe-lons que la population doit faire montre d'une extrême prudence, aucun vaccin n'étant disponible à ce jour contre leur morsure souvent mortelle.

À l'écran, on montrait une horrible araignée poilue au moins aussi grosse qu'une souris.

Sur la scène politique, le premier ministre canadien a annoncé aujourd'hui l'octroi de crédits additionnels à la recherche sur le cancer de la peau, qui affectera au moins une fois plus de 50 % de la population. Dans son discours, il a toutefois insisté pour rappeler à la population que la prévention demeurait la meilleure forme de protection contre ce fléau. Il a exhorté la population à utiliser conscien-cieusement les unités de protection et à ne sortir de chez elle qu'en respectant scrupuleusement les direc-tives émises par le ministère de la Santé.

Henri observait en grimaçant un petit garçon atteint d'un cancer semblable à celui de Pepage, sinon qu'il lui couvrait tout le visage et le haut du corps.

En terminant sur une note plus joyeuse, on rapporte la découverte en Alberta de deux spécimens de chat, cette espèce dont les plus âgés d'entre nous se souviennent sans doute et que l'on croyait éteinte depuis quelques décennies déjà. On mentionne que les spécimens en question semblent s'être adaptés tant bien que mal au nouvel écosystème engendré par les changements climatiques profonds des dernières décennies, notamment en développant une membrane protectrice sur l'œil. Les deux animaux ont été recueillis par le Centre national de biologie, où des spécialistes les examineront et tenteront de favoriser leur reproduction en captivité afin de ramener l'espèce à un niveau viable.

À l'écran, un homme et une femme vêtus d'unités de protection tenaient dans leurs bras deux adorables minets en souriant. En gros plan, on pouvait voir que chaque animal avait les yeux absolument blancs.

Sonné, Henri se leva pour éteindre la télé.

Chapitre XIX

Henri resta longtemps étendu sur son lit à fixer l'écran noir de la télé. Dans sa tête, les images qu'il venait de voir et les faits que l'on venait de décrire se bousculaient violemment. La moitié de la population atteinte d'un cancer de la peau! Des araignées devenues dangereuses! L'environnement qui semblait agoniser et une catastrophe écologique qui menaçait des millions de gens! Des territoires tellement peuplés qu'il était impossible de recevoir plus de sinistrés!

La gravité et l'horreur de la situation le terrassaient littéralement. Le plaisir de retrouver son père avait été profond, si complet, qu'il avait refusé d'admettre les changements qu'il observait autour de lui. Et voilà maintenant qu'ils lui sautaient au visage. Torturé, il songeait au monde tel qu'il était avant qu'il ne pénètre dans le portail et qu'il ne rencontre Oolang-Nao. Il se rappelait la tristesse qui s'était larvée en lui et qui ne semblait pas pouvoir être délogée. Mais le monde, lui, allait beaucoup mieux avant. Et il en était responsable.

De grosses larmes s'étaient mises à couler sur ses joues. S'il réussissait à replacer le cours normal des choses, il perdrait à nouveau son père. Il ne pouvait s'imaginer souffrir ainsi une seconde fois. S'il ne faisait rien, c'était la terre entière qui s'en allait vers la catastrophe.

Il s'endormit en ressassant ces sombres pensées.

❅

Henri était assis devant le portail. Il admirait calmement la forêt autour de lui et la lumière du soleil qui filtrait entre les branches et rendait les couleurs tellement plus pures. Tout à coup, des rayons de feu se mirent à tomber, allumant partout des incendies. Sans savoir d'où ils provenaient, il entendait des cris et des hurlements de terreur et de douleur. À l'orée de la clairière, des gens se tenaient prostrés, gémissants, la peau ravagée par les rayons du soleil. Tous tendaient les mains vers lui, le suppliant de les aider. Il prit peur et chercha refuge dans le portail. Oolang était là, qui l'attendait.

— Tu vois ? dit l'étrange garçon. Tu es entré ici et tout a changé, d'un seul coup. Maintenant, tout le monde brûle, brûle, brûle ! Tra-la-lère !

Oolang se mit à danser sur place, comme s'il s'agissait d'une occasion joyeuse.

— Tout a tellement changé…, se lamenta une voix triste et résignée derrière Henri. Avant, je n'avais pas mal.

Henri se retourna. Pepage, la moitié droite du visage décharnée et ensanglantée, se tenait là. Il lui tendait la main et le suppliait du regard.

—Aide-moi, Henri. Je n'ai pas mérité ça, sanglota-t-il.

Henri fut aspiré par l'arrière avec une force spectaculaire dans un tunnel sombre dans lequel il reculait à toute vitesse. Puis, aussi soudainement qu'il était survenu, le mouvement cessa. Il flottait très haut dans les airs. Loin en dessous se trouvait la Terre. Sa planète avait perdu sa belle couleur bleue. Les océans étaient rouges et les continents d'un gris terne. La vie s'accrochait désespérément dans ce nouvel environnement, mais il sentait qu'elle disparaîtrait bientôt. Il vit les mers s'assécher et la planète se transformer en une gigantesque boule de roc sans verdure, sans rien. Une masse morte qui tournait sans fin dans l'espace.

Une main se posa sur son épaule et le tira de sa vision.

—Tel est l'avenir de ta planète, mon pauvre Henri, dit Oolang.

Ils se trouvaient au sommet d'une haute montagne. L'horizon s'étirait à perte de vue. Partout, la nature était ravagée, à bout de souffle. Il ne voyait que du roc, gris, terne et lourd. Aucune végétation, aucun mouvement. Aucune vie. De gros nuages noirs et opaques masquaient le ciel et le soleil. Seule une lumière rougeâtre parvenait à percer cet écran. Un épais silence recouvrait ce qui restait de son monde.

Henri s'assit lentement sur un rocher et, le visage dans les mains, pleura des larmes amères.

❋

Lorsque son père entrouvrit la porte de la chambre et y passa la tête, il se réveilla en sursaut.

— Alors ? Comment il va, aujourd'hui, le petit Gibus ? demanda-t-il en souriant.

En voyant l'air éperdu de son fils, il fronça les sourcils et vint s'asseoir sur le bord du lit.

— Qu'est-ce qui se passe, mon grand ? s'enquit-il en passant la main dans les cheveux d'Henri. Tu as l'air malheureux depuis ton aventure dehors. Tu te sens bien ?

— Oui. Je suis juste un peu fatigué. Les effets du traitement, j'imagine, mentit le garçon.

— Tu es certain ? répliqua son père, sceptique. Si quelque chose te préoccupe, tu sais où me trouver, hein ?

Pour toute réponse, Henri saisit son père par le cou. La tête vautrée au creux de son épaule, il pleura abondamment, son corps secoué par de grands sanglots. Son père le consola du mieux qu'il put.

— Je ne veux pas te perdre, papa, répétait-il entre deux sanglots.

— Chut… Chut… Tu ne me perdras pas, je te le promets. Moi aussi je t'aime, Gibus.

Henri aurait voulu répondre qu'il savait, lui, que la promesse de son père était sincère, mais qu'elle pouvait être fausse. Tout dépendait du Continuum. Il demeura plutôt blotti longtemps contre son père, goûtant chaque instant de sa tendresse en sachant qu'il ne la revivrait plus.

Ainsi entouré d'un amour inconditionnel, il avait pris une décision qui allait l'en priver à jamais. La vie était vraiment trop injuste. Pour le bien des autres, il devrait avoir mal une fois de plus et faire souffrir sa mère. Il aurait préféré qu'on lui arrache le cœur. Mais sa conscience lui dictait qu'il devait le faire.

Le lendemain matin, il retournerait au portail.

Chapitre XX

L E LENDEMAIN MATIN, Henri s'habilla pour la première fois depuis sa mésaventure. Il se força à manger le copieux déjeuner que sa mère lui avait préparé, sachant qu'il remplissait ainsi d'avance la principale condition qu'elle poserait à ce qu'il avait à lui demander : la permission de sortir.

– Tu es certain que tu te sens suffisamment bien ? s'enquit-elle avec inquiétude.

– Oui, ça va beaucoup mieux aujourd'hui. Je ne me fatiguerai pas. Je veux juste aller voir les copains dans la cabane. Je reviendrai pour le dîner, c'est juré.

– J'imagine que ça te ferait du bien de sortir un peu, hésita sa mère. Bon, d'accord, mais fais attention et reviens pour le dîner, sans faute.

– Promis, répéta Henri en sachant qu'il mentait à cette femme qui ne serait plus tout à fait la même quand il reviendrait.

Il s'élança vers la porte et s'arrêta net. Il se retourna et vit sa mère qui lui faisait de gros yeux.

– Oups. Mon unité de protection. J'allais oublier, dit-il en faisant un sourire un peu embarrassé.

Il passa la combinaison et les bottes, coiffa la casquette et posa les lunettes noires sur son nez. Dans l'embrasure de la porte, il lança un dernier au revoir à sa mère, descendit prudemment les escaliers et enfourcha sa bicyclette.

Il se dirigeait vers le rond-point lorsqu'un klaxon de voiture retentit derrière lui. Machinalement, il se retourna et aperçut une voiture de police qui s'arrêta lentement à sa hauteur. La glace de la portière descendit lentement pendant qu'Henri s'en approchait, un peu craintif. Le visage du policier de l'autre jour lui apparut, souriant cette fois-ci.

— On a repris nos bonnes habitudes, jeune homme ? demanda l'agent.

— Comme vous voyez, répondit Henri en touchant son unité de protection. J'ai eu ma leçon, croyez-moi. Je n'oublierai plus jamais.

— J'en suis certain, répliqua l'agent. Je sais combien le traitement préventif est désagréable : je l'ai moi-même subi à deux reprises.

En souriant, l'agent remonta la vitre et la voiture s'éloigna lentement. Henri reprit son chemin. Il eut tôt fait de traverser le rond-point, toujours aussi vide de monde. Arrivé dans l'entrée de la maison de Junior, il y abandonna sa bicyclette comme d'habitude et se dirigea vers la cabane. Il ne l'aurait jamais admis à sa mère, mais il se sentait plutôt moche. Ses jambes étaient encore flageolantes et il avait le souffle court. Et puis, la chaleur accablante lui rendait la tâche difficile. En quelques minutes à peine, son unité de protection fut complètement trempée et lui colla au corps. Il marcha donc plus lentement.

Arrivé à la hauteur de la cabane, il entendit les voix familières de Bebeurre, Junior et Pepage venant de l'intérieur.

– Mais non! Je te dis, moi, que Guy Lafleur va faire des miracles. Il faut seulement que les Canadiens lui donnent le temps de se développer un peu. Il vient à peine d'arriver! rageait Bebeurre, qui prenait son hockey très au sérieux.

– Pas sûr de ça, moi, marmonnait Junior.

– Moi, j'aime encore mieux Cournoyer. Lui, c'est un vrai, disait Pepage. Et Henri Richard aussi.

– Je vous le dis: avec Lafleur, la coupe Stanley s'en vient, et pour longtemps! rétorqua Bebeurre.

Henri sourit en entendant cette discussion, à laquelle il avait si souvent participé. Comme son copain, il croyait lui aussi que Guy Lafleur, le jeune ailier des Canadiens de Montréal, deviendrait un grand joueur. Il passa en silence près de la cabane pour prendre le sentier qui menait à la station de pompage, à la vieille grange et… au portail.

Il suivit le sentier pendant un moment, contourna la station de pompage et marcha en direction de la vieille grange sans que rien d'inhabituel se produise. Il se demanda s'il pourrait retrouver le chemin du portail. *Le portail te retrouvera*, avait dit Oolang-Nao.

– Ouais… Il n'a pas l'air de me chercher bien fort, son portail, marmonna Henri.

Un étrange sifflement interrompit sa réflexion. Il s'arrêta, aux aguets. La chair de poule se dressa sur son cou et dans son dos. Ce son lui était étranger et avait quelque chose d'inquiétant. Il regarda droit devant lui, figé, espérant ne rien entendre d'autre et pouvoir poursuivre son chemin en se disant que son imagination lui jouait des tours.

Le bruit se reproduisit et Henri se retourna brusquement. Devant lui, en plein milieu du sentier, se tenait une araignée noire et velue de la taille d'un raton laveur, comme celles qu'il avait vues à la télévision. Elle avançait lentement en agitant ses mandibules et continuait à émettre son sifflement menaçant. Un fil la reliait encore à l'arbre d'où elle s'était laissée tomber après qu'il fut passé directement sous elle.

Il recula en cherchant désespérément des yeux une arme quelconque. Comme alertée par sa réaction, la bête fit un bond de plus d'un mètre dans les airs pour atterrir directement sur sa poitrine. Il tomba à la renverse. L'araignée progressa vers sa gorge et il vit les mandibules s'ouvrir pour lui appliquer une morsure qu'il savait mortelle.

Désespérément, ses mains tâtèrent le sol. La droite se referma sur une branche morte. D'un seul geste, il la planta au travers du corps de la bête qui émit un sifflement horriblement aigu. Un liquide sombre et épais s'échappa de la blessure et souilla l'unité de protection d'Henri qui demeurait paralysé de frayeur tandis que la créature empalée agonisait. Il dut se tortiller pour éviter que l'araignée n'arrive à le mordre. Ce ne fut que lorsqu'elle fut complètement immobile qu'il parvint à s'asseoir et à balayer le cadavre du revers de la main. Terrifié, il arracha des poignées d'herbe jaunie avec lesquelles il essuya son vêtement avec dédain. Celui-ci demeura taché par le liquide chaud et visqueux.

À un cheveu de la panique, Henri se releva et se mit à courir droit devant lui. Il n'aurait pu dire combien de temps passa ainsi. Lorsque la raison lui revint, il se trouvait à genou dans la petite clairière, à bout de souffle. Au centre, le portail était là et semblait l'attendre.

Tel que promis, le portail l'avait retrouvé.

Chapitre XXI

Tremblant de peur, Henri s'avança vers le portail. Sans arriver à mettre le doigt dessus, il avait la distincte impression que quelque chose avait changé. Ce ne fut qu'à quelques mètres de l'entrée qu'il réalisa ce qui le tracassait : la structure était maintenant recouverte d'une fine couche de poussière, comme si on avait cessé d'en prendre soin.

N'ayant aucune envie de rester dehors, il s'accroupit et entra sans rencontrer de résistance. Une fois à l'intérieur, il constata que le film laiteux remplissait à nouveau l'ouverture triangulaire. Il se releva et jeta un coup d'œil aux alentours, à la recherche d'Oolang-Nao. La lumière verdâtre semblait plus terne, moins pure. Le plancher était poussiéreux. L'air était rempli de particules en suspension. Une odeur de saleté et de moisissure envahit violemment ses narines. Il se serait cru dans une maison abandonnée et fermée depuis longtemps.

– Te voilà, fit une voix chevrotante.

Henri sursauta et se retourna. Devant lui un très vieil homme prenait place sur le disque de métal d'Oolang-Nao. Ses jambes maigres et raides ne lui permettant pas de s'asseoir à l'indienne, il avait ramené du mieux qu'il le pouvait ses genoux vers son torse. Son dos voûté lui donnait l'aspect d'une momie inca. Son costume était identique à celui d'Oolang sinon qu'il était usé jusqu'à la corde, taché et déchiré par endroits. Le beau tissu avait perdu son lustre. Son bonnet rouge trop grand avait glissé et lui tombait sur l'oreille droite. Tout autour sortaient des mèches folles de longs cheveux blancs qui s'étendaient abondamment sur ses épaules frêles. Son visage était ravagé, couvert de rides et de taches sombres. Une longue barbe blanche lui tombait jusqu'au nombril. Dans ses mains maigres aux doigts tordus par la vieillesse, il tenait le triangle noir rempli de boutons.

— Qui êtes-vous ? demanda Henri, inquiet.

— Tu ne me reconnais pas, dit le vieillard d'une voix étouffée. Je ne te blâme pas. Moi non plus, je ne me reconnais plus.

— Je dois parler immédiatement à Oolang-Nao. C'est urgent.

— Tu l'as trouvé, Henri. Tu l'as trouvé, déplora le vieil homme en posant sur lui des yeux mouillés au regard triste. Enfin, ce qu'il en reste.

Le garçon demeura estomaqué. C'était impossible. Personne ne pouvait vieillir ainsi en quelques jours.

— Mais… Comment… ?

— Lorsque nous nous sommes vus la première fois, je n'avais pas d'âge, dit le vieillard. J'étais hors du temps. Mais en entrant ici, tu as établi un pont entre ta réalité et la mienne. Deux univers sont entrés en contact pour la première fois : l'un temporel, l'autre pas. Ma réalité en a été affectée d'une façon imprévue. Tu y as fait entrer le temps. Et ce qui t'est apparu comme quelques jours s'est traduit par plus d'un siècle pour moi… Le temps m'a rattrapé. Et il continue.

— Alors tu as…

— J'ai plus de cent ans, selon ta notion du temps, dit Oolang. Et je n'en ai plus pour long-temps, j'en ai bien peur.

Un râle asthmatique s'échappa de sa poitrine creuse et il fut pris d'une toux grasse.

— Je t'attendais, haleta-t-il dès qu'il le put. Nous avons beaucoup à faire et peu de temps pour y arriver.

Sans rien ajouter, le vieil homme qu'était devenu Oolang-Nao actionna une commande sur sa console et son disque se mit à se déplacer sans bruit. Henri le suivit.

Chapitre XXII

HENRI ET OOLANG se retrouvèrent bientôt dans la salle où ils avaient discuté auparavant. Une fois encore, Oolang dirigea son disque vers le fauteuil en métal argenté, où il s'encastra en faisant un léger sifflement d'air comprimé. Le fauteuil s'ajusta à nouveau à son corps, si ce n'est qu'on aurait dit qu'il le faisait avec délicatesse, un peu comme on présente une chaise à un vieillard fragile. Oolang laissa échapper un grognement de soulagement, déposa sa console sur le bras droit du fauteuil, où elle s'encastra. Henri fut moins surpris, cette fois-ci, de trouver derrière lui le fauteuil dans lequel il s'était déjà assis. Il s'y installa et attendit.

Oolang prit une longue pause. Il ferma les yeux et prit quelques inspirations saccadées, comme s'il rassemblait ses forces avant de parler à nouveau.

– Alors, Henri. La situation est-elle aussi désespérante au-dehors qu'elle l'est ici ? s'enquit-il enfin d'une voix faible et lasse.

– Tout a changé dehors.

Le plus calmement qu'il le pouvait, Henri lui relata les événements des derniers jours : la nature qui se déréglait, le réchauffement de la planète, les rayons du soleil qui donnaient le cancer, la montée des océans, les inondations, les déplacements forcés de population, les araignées mutantes, les animaux en voie d'extinction, les unités de protection qu'il fallait porter et les traitements qu'il avait dû subir après avoir passé une heure dehors sans protection.

Quand il eut fini, Oolang le regarda tristement.

— C'est terrible, tout ça, déplora-t-il avec un filet de voix. On laisse les humains à eux-mêmes quelques instants et tout dégénère.

— Mais il y a autre chose…

— Quoi ?

— Mon père n'est pas mort. Enfin… Il ne l'est plus.

— Vraiment ? fit Oolang, en haussant les sourcils, manifestement surpris.

Il pencha la tête vers l'avant et passa sur son visage raviné ses longues mains striées de veines bleues aux doigts déformés par l'âge.

— Tu crois que tu pourrais… ?

Le vieillard secoua la tête avec compassion.

— Non, Henri, dit-il doucement. Ne demande pas ce que je devrais refuser. Les choses se passent bien trop vite, déplora-t-il avec lassitude. Je ne contrôle plus rien. J'ai mal partout. Je perds ma concentration. Je suis faible. Ma mémoire me trahit. Le Continuum ne m'obéit plus.

Il s'interrompit pour tousser. Son corps fut secoué par des secousses si violentes qu'elles semblaient devoir lui faire expirer son dernier souffle. Pendant de longues secondes, il demeura silencieux, la nuque appuyée contre le dossier du fauteuil, les yeux clos, le visage perlé de sueur.

– Jamais je n'aurais cru que ton arrivée aurait un tel effet, avoua-t-il, défait, le souffle court.

– Alors il n'y a plus rien à faire ? Nous sommes fichus ?

Avec un air de condamné à mort, le vieil homme acquiesça lentement de la tête.

– On ne peut pas laisser mourir tous ces gens ! explosa Henri. Il doit bien y avoir quelque chose que tu puisses faire !

– Le Continuum est emballé. Je n'y peux rien. Il va se déployer au hasard et finir par imploser. Tout reviendra normal et je retournerai auprès des miens. Si je dure jusque-là.

L'esprit d'Henri tournait à double tour. Jamais il n'avait réfléchi aussi intensément – certainement pas à l'école. Il fixait le plancher en se tapotant le menton avec les doigts de la main droite.

– Et si quelqu'un d'autre contrôlait le Continuum à ta place ? suggéra-t-il spontanément en relevant la tête.

– Que veux-tu dire ?

— Que quelqu'un pourrait te remplacer ? Juste le temps de rétablir temporairement le contrôle sur le Continuum ? Tu pourrais redevenir toi-même et reprendre les commandes.

Oolang ne répondit pas. Il semblait considérer la question avec grande attention.

— Quelqu'un comme toi ?

— Je ne vois personne d'autre ici, déclara Henri en regardant de chaque côté.

— As-tu seulement idée de ce que cela représente ? Tu n'es pas de ma race, Henri. Ton esprit n'est pas conçu pour recevoir toute cette information. Il n'y résisterait pas.

— À moins que tu aies une meilleure idée, c'est ça ou laisser l'univers se détraquer, rétorqua sèchement Henri.

Le vieil homme le regarda longuement, le visage défait.

— La seule façon d'effacer les dommages causés par ton entrée dans le portail serait de rétablir le Continuum exactement comme il l'était avant, déclara-t-il gravement. Jusque dans ses moindres détails.

— Je sais.

— Réalises-tu que… ?

— Oui.

Sachant déjà ce qui allait suivre, Henri se mit à pleurer doucement, mais ne baissa pas les yeux.

— Dans la séquence normale des événements, poursuivit Oolang, ton père est mort. Cela peut te paraître injuste, mais c'est nécessaire… Ça fait partie de sa vie et de la tienne. L'absence de ton père contribuera à faire de toi l'homme que tu dois devenir.

— Je sais, déclara-t-il d'une voix à peine plus forte qu'un souffle, la mâchoire serrée.

— Pour sauver ton univers, tu devras sacrifier ton père, insista le vieillard. Et rien ne garantit que tu réussiras. En fait, tu y laisseras probablement la vie.

— J'ai compris ! éclata le garçon.

Dans les bras de son père, il avait accepté que sa propre peine ne pesait pas lourd lorsqu'on la mesurait à la misère collective qu'avait engendrée son entrée inopinée dans le portail.

— Si les catastrophes continuent à se multiplier, de toute façon, tout le monde finira par mourir du cancer ou de faim, affirma-t-il avec un haussement d'épaules résigné. Mon père et moi comme tous les autres. Et aussi ma mère et mes amis. Tout le monde est condamné de toute façon. Aussi bien mourir en essayant de rétablir les choses.

Il soupira et se raidit.

— Maintenant, dis-moi comment rétablir le Continuum.

Chapitre XXIII

ILS PÉNÉTRÈRENT dans un long corridor sombre dont les murs courbes créaient une impression de tunnel. Contrairement au reste, ce lieu avait des dimensions bien précises. Le plancher suivait une légère pente descendante et Henri avait l'impression de tourner continuellement vers la droite. Ils arrivèrent bientôt dans une salle vivement éclairée au centre de laquelle se trouvait une immense sphère sombre d'où jaillissaient des éclairs multicolores.

— Voici Alpha, dit Oolang en désignant la sphère d'un geste de la main.

Il fut saisi d'une nouvelle quinte de toux, plus violente encore que la précédente. Il en perdit l'équilibre et manqua de tomber de son disque flottant. Henri se précipita pour le soutenir tant bien que mal et l'aida à se remettre en place.

— Tu vois comme je vieillis ? haleta le vieillard. Je n'en ai plus pour longtemps. Nous devons agir vite. Sinon, je n'aurai même plus la force de te guider.

— Que dois-je faire ?

– Tout a commencé lorsque tu es sorti temporairement du temps, dit faiblement Oolang. Il faut rétablir le Continuum au moment où il a été rompu.

– Comment ?

Oolang désigna à nouveau la sphère sombre.

– Alpha permet de contrôler le Continuum, expliqua-t-il. Il n'est ni une machine, ni un être vivant. En lui se trouvent toutes les variantes de tous les événements passés, présents et futurs, perpétuellement sélectionnés, modifiés, redéfinis et annulés.

– Je croyais que c'était toi qui dirigeais l'univers.

– Je suis la conscience d'Alpha. Il n'agit pas par lui-même. Il n'est qu'une extension de ma pensée. Il existe parce que j'existe. Sous mon contrôle, il effectue un nombre quasi infini d'opérations à chaque instant et ajuste sans cesse la séquence des événements.

Henri toisait la sphère, à la fois ébahi et méfiant. À l'intérieur, une infinité d'éclairs de toutes les couleurs semblaient en perpétuel mouvement et traçaient des parcours d'une extraordinaire beauté. Il s'en approcha. Elle devait bien avoir dix mètres de diamètre. Ses contours étaient flous et semblaient se confondre avec l'air et la lumière ambiants.

Il se retourna vers Oolang.

– Que dois-je faire ? s'enquit-il.

– Tu dois devenir un avec Alpha.

Chapitre XXIV

ÉTRANGEMENT, la sphère semblait l'attendre, presque l'appeler. Il ressentait une peur viscérale, mais aussi une curiosité presque perverse qu'il avait peine à contrôler. Il approcha la main de la surface. Prudemment, il y posa le bout des doigts, puis la paume, et pressa légèrement. Sa main s'enfonça sans résistance dans ce qui lui semblait être une substance gélatineuse et chaude, mais complètement sèche. Il sentait une puissance terrible traverser la peau et les os de sa main, qui lui sembla perdre toute substance. Apeuré, il la retira vivement et fut très soulagé de la revoir intacte.

— Lorsque tu pénétreras dans Alpha, ton corps ne fera plus qu'un avec la matière de l'univers, le prévint Oolang. Seule ta pensée existera.

— Comment vais-je faire pour ressortir si je n'ai pas de corps ? s'alarma Henri.

— Il te suffira de le vouloir et Alpha le recomposera dans son état initial. Si ça marche, évidemment.

Voyant que le visage d'Henri se renfrognait d'inquiétude, Oolang fit glisser son disque jusqu'à lui.

– Une fois dedans, je vais ressentir quoi?

– J'ignore comment ton esprit s'accommodera. Alpha a été conçu par et pour moi. Mais si ça fonctionne, tu te sentiras envahi par un indescriptible sentiment de puissance. L'univers obéira à tes moindres désirs. Tu seras au cœur de tout ce qui est et tu en seras le maître absolu. Tu vas recevoir une masse inconcevable d'informations. Tout le passé, le présent et les variations infinies de l'avenir se trouveront à la fois en toi. Tu devras te battre pour conserver la raison, Henri. Une fois joint à Alpha, tente de repérer le moment précis où la brisure dans le Continuum s'est produite.

– Et si j'y arrive?

– Désire qu'elle n'ait jamais été, tout simplement. Mais pour restaurer le Continuum, il te faudra être certain que tous ses éléments sont en place.

– Comment le saurai-je?

– Tu sauras, ricana le vieil homme. Absolument tout.

Henri considérait la sphère, incertain.

– Il est temps, dit Oolang en le poussant doucement par le coude.

Pendant un moment, Henri se revit, découvrant son père à son réveil à l'hôpital, puis jouant aux échecs avec lui, se réfugiant dans ses bras après son cauchemar, ouvrant chaque soir un nouveau cadeau. Ces images s'effacèrent et furent remplacées par le visage ravagé de Pepage. Puis vinrent ceux de ses autres copains et de sa mère.

Il fit un pas vers l'avant et tout disparut.

Chapitre XXV

*H*ENRI. *Ce mot était vaguement familier. Un nom? Une identité? Une entité. Quelle perte de temps de s'exprimer à l'aide de mots lorsque la moindre idée devient immédiatement une réalité de l'esprit!*

L'entité flottait au cœur de l'espace et du temps. Elle était partout à la fois, libre. Toute la création était à sa portée, à l'affût de son moindre désir. Était-elle Dieu? Non. Dieu était ailleurs, quelque part au-delà de cette réalité.

Puis vinrent les événements; une infinité d'événements. Trop d'information. L'entité ne pouvait tout absorber aussi vite. Douleur. Immense douleur. Le néant l'appelait. Dans le néant, elle trouverait le calme. Le flux d'information cesserait.

– Garde ta raison, Henri! Concentre-toi! fit une voix que l'entité avait déjà connue.

Au prix d'un grand effort, elle émergea du chaos d'information. Elle souhaita que les choses ralentissent et il en fut ainsi. Soulagée, elle se souvint de sa mission et souhaita voir où tout avait débuté. Le Continuum se plia aussitôt à son désir. Elle observa l'entité Oolang-Nao, jeune et naïve, flottant comme elle, hors de l'univers matériel, qui s'amusait à créer. Elle vit l'explosion première, puissante et majestueuse, courir dans toutes les directions à la fois, transportant dans son sillon la matière de l'univers. Elle sentit la force créatrice qui l'animait. Sous son regard, le temps se déroula. La matière se refroidit graduellement et prit forme. Tant de beauté. Devant elle se trouvait une planète d'un bleu resplendissant où l'eau abritait des formes de vie qui apprenaient à respirer l'air pur. Une végétation luxuriante recouvrait la surface, où des êtres plus complexes apparaissaient. Lentement, ils apprenaient à tirer parti de leur intelligence et, se dressant sur leurs pattes de derrière, sortaient de l'eau.

En un bref instant dans la durée de l'univers, tout changea. Une forme de vie parmi les autres ne se contentait pas d'être, mais désirait dominer les autres et établir son empire sur toute la planète. La nature était repoussée, les terres étaient forcées de produire plus qu'elles ne le voulaient. Tout devenait sale. La mort était omniprésente.

La surface de la planète perdit ses couleurs, tout devint grisâtre. L'eau et la terre ferme étaient impossibles à distinguer. Non! Trop loin! L'entité prit peur. Elle se savait liée à cet univers. Pendant un instant, elle ne sut que faire. Elle souhaita de toute sa force que ce dont elle venait d'être témoin ne soit pas survenu. Aussitôt, la planète redevint bleue et striée de nuages blancs, tournant tran-

quillement dans l'espace, éclairée par une belle étoile brillante.

Le déroulement du temps devait ralentir. L'entité devait pouvoir observer de plus près la séquence des événements sur cette planète. Elle le désira et il en fut fait ainsi. Des hommes vêtus de peaux chassaient le mammouth. Non. Plus près. Des hordes d'esclaves érigeaient une immense pyramide dans le désert. Des hommes et des femmes adoraient la statue d'une déesse dans un magnifique temple de pierre et de marbre soutenu par de gigantesques colonnes. Encore plus près. Des chevaliers en armure combattaient noblement. De grands navires à voile traversaient la mer à la recherche de contrées nouvelles. Une fusée quittait l'atmosphère de la planète pour se diriger vers la lune. Voilà! L'entité se fixa à cette époque et suivit avec attention son déroulement, ralenti à l'extrême. Elle repéra un événement en apparence anodin qui se déroulait devant elle.

Un petit garçon marchait dans les bois, à la recherche de ses amis. Il arriva bientôt dans une clairière où se trouvait une petite pyramide noire… Non! Il ne devait pas être là! L'entité s'alarma et souhaita de toute sa puissance que cet événement ne se soit jamais produit. Une infinité d'options possibles s'offrit alors à elle, chacune ayant à son tour une infinité de conséquences. L'entité les observa toutes simultanément. Sa conscience fut remplie par les innombrables variations que le geste le plus anodin engendre dans le tissu de l'univers. L'entité hésita.

Tellement d'avenirs possibles. Elle arrêta finalement son choix.

Le petit garçon marchait dans les bois. Il arriva bientôt devant une grange où se trouvaient ses amis, qui s'amusaient à se jeter dans le foin qui y était entreposé. Bientôt, le fermier surgirait et les sommerait de partir en menaçant d'avertir leurs parents. Voilà… L'entité pouvait cesser d'intervenir.

Chapitre XXVI

Henri fut violemment projeté hors d'Alpha. Rejeté, presque. Il fit une arabesque de plusieurs mètres de long avant d'atterrir lourdement sur l'épaule droite, qui émit un craquement sec. Au même moment, sa tête heurta le sol et, l'espace d'un instant, tout devint sombre. Dans sa demi-conscience, les images de ce qu'il avait vu s'entrechoquaient tout en s'effaçant. Haletant, il se sentait déconnecté de son corps et avait peine à toucher la réalité, qui s'entremêlait avec l'univers d'infinies possibilités qu'il venait de quitter.

Une légère pression s'exerça sur son épaule blessée et la douleur le ramena brusquement à la réalité.

— Aaagggghhhh ! cria-t-il en ouvrant grand les yeux.

Au-dessus de lui se trouvait le visage familier d'un jeune garçon d'une quinzaine d'années coiffé d'un drôle de bonnet pointu, qui lui souriait tendrement.

— Tu as réussi ! annonça Oolang-Nao, la mine réjouie.

– C'est bien toi ? demanda-t-il d'une voix faible.

– Tu es blessé, dit le garçon qui n'en était pas vraiment un, d'une voix où perçaient l'inquiétude et une réelle affection. Laisse-moi voir ça.

Sans attendre la permission, il écarta le collet de l'unité de protection d'Henri et exposa l'épaule blessée.

– Ta clavicule est fracturée. Alpha y a été un peu fort. Il n'est pas familier avec les humains. Ne bouge pas.

Henri, qui n'aurait pas pu bouger même s'il l'avait voulu, resta immobile. Sans retirer sa main de son épaule, Oolang actionna quelques boutons sur sa console et Alpha se mit aussitôt à briller d'une faible lumière jaunâtre et feutrée. Au même moment, Henri sentit une chaleur lui traverser l'épaule et, en penchant la tête, put voir que la main du garçon émettait la même lumière.

– Voilà. Tout est réparé, déclara Oolang.

Perplexe, Henri bougea le bras, prudemment au début, puis avec davantage d'énergie. La douleur avait disparu.

– J'ai vraiment réussi ? demanda-t-il sans oser y croire.

Oolang l'empoigna par les épaules, le sourire étincelant et le regard réjoui.

– Oui, Henri. Tout semble être revenu à la normale.

Henri se rembrunit soudain et ses lèvres se mirent à trembler.

– Tout…, répéta-t-il alors que les conséquences de son succès se rappelaient à lui.

– Je sais bien que cela ne changera pas grand-chose à ta peine, mais sache que, grâce à toi, une infinité de formes de vie ont maintenant un avenir.

– Je sais. Mais dans le moment, je m'en fiche pas mal.

– Je comprends.

Henri se dirigea lentement vers Alpha et s'arrêta tout près de la surface de la sphère, qu'il frôla du bout des doigts avec nostalgie. Son père était quelque part là-bas, dans cet univers absolu où tout était possible. Il aurait suffi d'un désir…

– Dis-moi, demanda-t-il sans la quitter des yeux, la voix étranglée par les sanglots qu'il refoulait, je le reverrai un jour ?

– Oui. Mais pas de la façon que tu imagines, répondit Oolang.

– Comment ?

– Ce que tu souhaites connaître, personne ne doit le savoir. Disons simplement qu'un certain M. Lavoisier, qui vivait dans ton XVIIIe siècle, a partiellement mis le doigt sur la réponse lorsqu'il a affirmé que rien ne se crée, rien ne se perd et tout se transforme.

– Alors, ça voudrait dire que…

– Que tu dois être patient, coupa l'étrange garçon.

Oolang lui prit le bras et l'éloigna de la sphère.

– Il est temps de retourner chez toi. Tu ne veux quand même pas provoquer une nouvelle catastrophe en restant ici trop longtemps, ricana-t-il.

– Que va-t-il se passer maintenant ?

– Seulement ce qui doit se passer.

Toujours assis sur son disque, il tendit la main, qu'Henri accepta et serra. Sa peau était fraîche et sèche.

– Au revoir, dit Oolang-Nao. Je ne t'oublierai pas.

– Je te reverrai ?

– Après ce que notre première rencontre a provoqué, tu crois vraiment que ce serait une bonne idée ?

– Non. Pas du tout.

Sur ces mots, Oolang pressa un bouton sur sa console et une pellicule de plastique translucide sembla se placer entre les deux garçons. Lentement, la scène se dissolvait. La dernière chose qu'Henri put voir fut le sourire d'Oolang-Nao qui lui envoyait la main.

Chapitre XXVII

Henri venait de contourner la station de pompage dans laquelle ses amis et lui avaient aimé croire qu'un maniaque habitait. Il connaissait bien ce sentier et marchait bon train. Il regarda sa montre : dix heures vingt. Quelques minutes plus tard, il aperçut la vieille grange, en bas, dans le champ. Il dévala la pente en prenant de longues enjambées semblables à celles d'un sauteur en longueur. Arrivé près du bâtiment, il entendit la voix de ses amis.

– Salaud ! criait Bebeurre en riant aux éclats. Tiens ! Je vais t'apprendre, moi !

– Pouah ! répondit Junior en crachotant.

Henri sourit. Junior tombait toujours dans le même panneau. Il ne pouvait s'empêcher de lancer du foin à Bebeurre, qui se faisait un malin plaisir de lui en faire manger pour se venger. C'était devenu une sorte de rituel dont ils ne se privaient jamais et qui faisait rire tout le monde. Même Junior.

Sans faire de bruit, Henri se glissa subrepticement par la porte et ramassa une poignée de foin. Doucement, il s'approcha de Bebeurre par l'arrière. Junior et Pepage, qui l'avaient repéré, n'en donnèrent pas le moindre signe, trop heureux à l'idée de ce qui attendait leur copain. Henri bondit en hurlant et lui écrasa la poignée de foin en plein visage, aux cris amusés des autres.

Tout était redevenu normal. Henri avait peut-être perdu son père, mais il avait une mère extraordinaire et des amis épatants. Et puis, Oolang l'avait dit : rien ne se perd… Il suffirait d'attendre.

Table

Collection « Nébuleuse »

Réalisation des Éditions Vents d'Ouest (1993) inc.
Gatineau
Impression : Imprimerie Gauvin ltée
Gatineau

Achevé d'imprimer en mars
deux mille quatorze

Imprimé au Canada